De la même auteure

Le thé chez Clara, roman publié en 1997.
On peut le trouver dans certaines bibliothèques.

À LA RESCOUSSE
DU CŒUR
ET DES SILENCES

Catalogage avant publication de Bibliothèque et Archives Canada

Lambin, Diane

    L'art à la rescousse du cœur et des silences

    (Collection Psychologie)

    ISBN 2-7640-0878-3

    1. Art-thérapie. 2. Artistes – Psychologie. 3. Réalisation de soi. I. Titre. II. Collection : Collection Psychologie (Éditions Quebecor).

RC489.A7L35 2005   615.8'5156   C2005-940355-1

LES ÉDITIONS QUEBECOR
Une division de Éditions Quebecor Média inc.
7, chemin Bates
Outremont (Québec)
H2V 4V7
Tél. : (514) 270-1746
www.quebecoreditions.com

©2005, Les Éditions Quebecor
Bibliothèque et Archives Canada

Éditeur : Jacques Simard
Conception de la couverture : Bernard Langlois
Visuel de la couverture : Diane Lambin
Photo de l'auteure : Éliane Excoffier
Correction d'épreuves : Claire Morasse
Conception graphique : Jocelyn Malette
Infographie : Claude Bergeron

Nous reconnaissons l'aide financière du gouvernement du Canada par l'entremise du Programme d'Aide au Développement de l'Industrie de l'Édition pour nos activités d'édition.

Gouvernement du Québec — Programme de crédit d'impôt pour l'édition de livres — Gestion SODEC.

DANGER
LE PHOTOCOPILLAGE TUE LE LIVRE

Imprimé au Canada

L'ART

À LA RESCOUSSE
DU CŒUR
ET DES SILENCES

DIANE LAMBIN

LES ÉDITIONS
Quebecor
QUEBECOR MEDIA

Merci à Lorraine pour ces mots inouïs :

« Répondez à votre demande intérieure. »

À Jean

Sommaire

« Toute ma vie, j'ai pêché, et quand j'étais enfant, je pêchais avec un fil sans hameçon. Je lançais une pierre au bout d'un fil. C'est le geste qui compte, c'est une certaine perfection du geste, un certain accord avec le monde et ça va très loin. J'ai un ami, grand pêcheur, qui parle aux poissons. Je voudrais être comme lui en peinture. »

Jean-Paul Riopelle

Introduction

Itinéraire et rencontres

Au début de l'année 2004, tel un présage, j'étais plongée dans *L'ivresse de l'art, Nietzsche et l'esthétique* de Paul Audi, en quête de quelques éclairages supplémentaires sur le sens du mot « esthétique », sens qui, autrefois, reliait d'emblée le beau au vrai. Et, comme c'est mon habitude, j'avais d'abord consulté *Le petit Robert*; esthétique : nom féminin et adjectif, du grec *aisthêtikos*, qui provient de *aisthanesthai* et qui veut dire « sentir ». Formidable. Ainsi, quand on m'a demandé d'élaborer un ouvrage qui dirait comment l'art peut aider à guérir, je me suis appuyée sur le sens ancien, *sentir*, donc éprouver, et j'ai poursuivi :

Art : « science, savoir », puis « moyen, méthode »; du latin *ars, artis*; souvent féminin jusqu'au XVIe siècle.

Thérapie : du grec *therapeia*, « soin, cure ».

Art-thérapie ! Ces mots réunis sont déjà toniques.

Ainsi, dès le départ, deux questions sont apparues d'égale importance. La première : par quel truchement l'art « marche » en thérapie ? La seconde : que contient donc l'art qui est susceptible de procurer cure et bienfaits ? J'ai tout de suite su qu'il me fallait aller à la rencontre de chercheurs mais aussi d'artistes.

Chemin faisant, on m'a répété que le milieu de l'art est morose. Certains croient que l'aide à la création manque, d'autres que c'est l'aide à la diffusion qui fait défaut ; j'ai pensé : une maison, un tableau ! On dit également, à voix retenue, que la profession se féminise. C'est tant mieux. Cette pulsion qui avance et veut se dire, il n'y a qu'à bien la nourrir pour qu'elle soit forte et vibrante, parlante à son tour. On m'a aussi appris que depuis l'an 2000, un commerce réputé qui vend du matériel d'artiste, et de plus en plus du matériel de bricolage, a quintuplé ses surfaces ; le mot magique : *créativité*.

« L'art devient un élément de plus en plus important dans notre société où l'individu prime, dit Jean Balekian, car l'art permet la nuance, donc une représentation d'une réalité qui nous est propre et dont nous avons tous besoin pour vivre. On pourrait même dire que nous sommes maintenant tous des artistes, l'art n'est plus exclusif, chacun peut exprimer quelque chose. Il y a ensuite, bien entendu, des variations dans les qualités, l'ampleur et la nécessité de cette expression. » Jean Balekian, responsable de l'enseignement de l'art à l'école Waldorf Steiner de Montréal, nous présentera les grandes lignes de cette pédagogie qui place l'activité artistique au même niveau que les autres matières scolaires ; il expliquera comment l'art peut justement être pédagogie, thérapie et création.

Pour entreprendre le voyage au cœur même de l'art-thérapie, j'ai d'abord consulté trois ouvrages français, dont de brefs extraits rassemblés plus loin donneront divers points de vue sur la pratique : *Manuel d'art-thérapie* d'Annie Boyer ; *Tout savoir sur l'art-thérapie* de Richard Forestier ; *L'art-thérapie* de Jean-Pierre Klein. Concernant l'historique de l'art-thérapie, on m'a conseillé *Healing Arts, The History of Art Therapy*, de Susan Hogan. En voici quelques aspects[1] qui, déjà, vont nous situer.

Susan Hogan explique qu'on a utilisé le dessin, la musique et la présence d'œuvres d'art en psychiatrie depuis la fin du XVIIIᵉ siècle, en bref, dans une volonté d'apaiser, de tenter de rejoindre ou d'éveiller les émotions des malades. Les méthodes draconiennes des asiles – enchaînements, réclusion et abandon, par exemple – ont fini, avec le temps, par céder le pas à des méthodes plus humaines. Les interventions ont évolué jusqu'à finalement tenir compte, comme c'est le cas aujourd'hui, du dossier personnel des malades, aspect cher à la psychanalyse.

C'est un peintre, Adrian Hill, qui a initié et donné son nom à l'art-thérapie. Interné dans un sanatorium en Angleterre entre 1938 et 1942, car il souffre de tuberculose, Hill continue de s'adonner à son art. Il dessine ce qu'il voit autour de lui : sa chambre, divers objets et même son opération. Un de ses tableaux, *La salle de bains du sanatorium*[2], attire l'attention de la presse. Hill poursuit son activité tout en faisant les portraits de différents patients et finit par les initier au dessin. Il veut non seulement les occuper, mais aussi leur permettre d'exprimer leurs malaises. Viendront pour Hill de nombreuses batailles afin de promouvoir la valeur de cette approche. Il recevra, entre autres, l'appui de la Croix-Rouge britannique, car beaucoup de soldats sont internés à cette époque. Cet appui de départ a sans doute permis que des artistes soient mis à contribution dans les hôpitaux et

1. Susan Hogan, *Healing Arts, The History of Art Therapy*, Londres, Jessica Kingsley Publishers Ltd., 2001, p. 134 à 137.
2. Jean-Pierre Klein, *L'art-thérapie*, Paris, Presses universitaires de France, 1997, p. 49.

les cliniques, en Europe comme ici. En Angleterre, un centre important verra le jour, Withymead, où patients et intervenants s'entraideront; les recherches y seront fructueuses, l'approche psychanalytique, particulièrement celle de Carl Jung, leur servira de point d'appui.

Le développement de l'art-thérapie s'est donc fait à travers un adoucissement des mœurs et des perceptions et une expansion des méthodes, engendrant la possibilité de répondre aux besoins variés d'une clientèle élargie : des cas lourds «aliénés» aux crises passagères, en passant par la dépression et le développement personnel. Le métier d'art-thérapeute, tel qu'on le connaît aujourd'hui, s'est finalement précisé en combinant des études en art et en psychologie, données dans les universités.

Pour saisir un peu la vision initiale d'Adrian Hill, j'ai traduit au mieux le paragraphe[3] suivant du livre de Susan Hogan : «Dans son livre *Painting Out Illness* (1951), Hill note que le rôle et les assises de l'art-thérapie ne sont pas clairement définis ; par contre, il affirme que l'art-thérapeute est susceptible d'offrir des opportunités uniques. À l'aide d'un contact de qualité avec un patient et du support nécessaire pour que la pulsion de création puisse s'éveiller, il peut faire en sorte que des conflits intérieurs importants soient identifiés et, éventuellement, allégés de leur aspect douloureux.» Ailleurs, écrit encore Susan Hogan, Hill explique qu'il voit cette pulsion de création comme une force fondamentale capable de soutenir et d'intégrer l'être en lui-même, et que cette pulsion est reliée aux instincts. Sur ce point, ajoute-t-elle, Hill cite Herbert Read : «L'art est un instinct d'un incomparable pouvoir.» Hill ajoute que se mettre à pratiquer un art stimule la force de l'instinct animal et délivre en faisant vivre notre côté tapageur et déréglé (le texte anglais : «*Hill sees engaging in art work as stimulating honest animal spirits and riotous impulses*»).

---

3. Susan Hogan, *Healing Arts, The History of Art Therapy*, Londres, Jessica Kingsley Publishers Ltd., 2001, p. 136-137 (traduction d'un paragraphe).

«L'art nous rappelle aux états du *vigor* animal[4]...», rapporte Paul Audi, dans *L'ivresse de l'art*.

Jung dit: «Pour beaucoup, le plus simple est de les écrire (les fantasmes), d'autres les visualisent, d'autres encore les dessinent ou les peignent avec ou sans visualisation. Lorsqu'on a affaire à une crispation accentuée du conscient, il arrive souvent que seules les mains puissent imaginer: elles modèlent ou dessinent des formes qui sont souvent étrangères au conscient[5].»

En deux mots, l'art-thérapie peut nous permettre de retrouver ou de renouveler la force des instincts, ce qui est passablement pratique pour vivre.

Sur le terrain avec Pierre Plante

«En art-thérapie, dit Pierre Plante, il ne s'agit pas de se limiter à une seule image ni à quelques-unes, il s'agit plutôt de les accumuler pour voir se préciser l'univers intérieur de quelqu'un. Il s'agit de découvrir et de suivre l'histoire qui est en train d'être racontée sur le papier et dans laquelle la personne qui consulte projette ses visions ou ses croyances, ses souffrances et ses aspirations. D'une séance à l'autre, des préférences pour l'ambiance et l'organisation de l'espace reviennent dans les images; dans son suivi, l'art-thérapeute saura les reconnaître.»

Pierre Plante détient un baccalauréat en psychologie de l'Université du Québec, un baccalauréat en enseignement de l'art et une maîtrise en art-thérapie de l'Université Concordia, et termine actuellement un doctorat en psychologie clinique à l'UQÀM.

---

4. Paul Audi, *L'ivresse de l'art, Nietzsche et l'esthétique*, Paris, Le livre de poche, coll. Biblio essais, 2003, p. 128 (extrait d'un fragment de Nietzsche daté de 1887 à la question *Ce qu'est l'art*).

5. Carl Gustav Jung, *Commentaire sur le Mystère de la Fleur d'Or*, traduit de l'allemand par Étienne Perrot, Paris, Albin Michel, 1979, p. 34.

Pendant sa formation, au cours des stages, il a côtoyé des jeunes et des adultes : jeunes fugueurs, adolescents en milieu carcéral, adolescents et adultes en psychiatrie, adultes en situation de crise majeure, dont des tentatives de suicide, et jeunes adultes de santé mentale fragile. Ses emplois à Jeunesse j'écoute et Assistance parents le touchent particulièrement et lui donnent envie de s'investir auprès des familles et des enfants. Ainsi, en plus de sa pratique privée, il travaille dans un organisme communautaire hors du commun, en plein cœur d'un des quartiers les plus démunis de la ville : le centre Assistance d'enfants en difficulté mis sur pied dans le quartier Hochelaga-Maisonneuve, à Montréal. C'est principalement sur ce terrain que nous ferons des pas concrets, à l'aide de mises en situation ou de moments forts de plusieurs cas, tant des enfants que des adultes, demeurés anonymes.

Repères

Art-thérapie ou thérapie à support artistique : utilisation des arts visuels, à divers niveaux, avec ou sans interprétation : dessin, collage, modelage, peinture, sculpture, photographie, masques…

Dramathérapie : mise à profit du théâtre ; la mise en scène est parfois basée sur les histoires personnelles, comme c'est le cas au Playback Theater, à New York, inventé par Jonathan Fox en 1975, suivi, à Paris, du Théâtre de la réminiscence et, ici, du Théâtre de nos histoires.

Musicothérapie : utilisation de la musique et des instruments pour une réhabilitation physique, les doigts par exemple ; ou pour rejoindre, toucher et retenir l'attention d'une personne souffrante.

L'art-thérapie peut être abordée en privé et en groupe ; les problèmes qu'elle tente de résoudre ou d'accompagner sont de tous les niveaux.

Activités et arts thérapeutiques sont toujours mis à contribution dans les organisations qui s'occupent de personnes souffrant de maladies mentales importantes. À Montréal, par exemple, on trouve la fondation et le centre d'art thérapeutique actif et reconnu Les Impatients, qui présentent également des expositions.

Les artistes d'abord

Afin de trouver une première histoire empreinte de nécessité, j'ai demandé à mon amie Hélène, alors très impliquée dans une association de peintres : «Quelqu'un t'a-t-il déjà dit : " Si je ne peignais pas, je mourrais "?» «Oui! a-t-elle répondu dans un souffle, Sophie Picard.» Première destination : Saint-Hilaire.

Quelque temps plus tard, au cours d'un dîner, alors que je racontais les buts de cette quête, un ami a murmuré : «Tu devrais aller voir ma sœur.» J'ai roulé vers le nord cette fois, à la rencontre de France Lafleur qui a trouvé dans la peinture une terre à la mesure de ses émotions pour accueillir le trop-plein de quelques événements bouleversants.

Puis, j'ai rendu visite à mon vieil ami, Serge Babeux, ex-publicitaire envié, qui s'est retiré et pour qui la peinture est devenue tout à la fois second combat, maîtresse et liberté ; le dessin a croisé sa vie d'enfant d'une manière assez inusitée.

J'ai ensuite cherché quelqu'un qui avait vécu sous d'autres cieux et d'autres influences ; mon ami Guy m'a parlé de Cristina Bonilla, peintre abstraite, née ici, qui a étudié à New York et en Espagne, héritage paternel oblige. Elle est de retour au Québec depuis peu et nous confie certains éléments de sa pratique basée sur l'héritage de la New York School ; bref aperçu de l'expressionnisme américain.

Vient un illustre trio de comédiens : ma fille Isabelle Brouillette, son amie de toujours Geneviève Bilodeau et Philippe Ducros, cavalier des temps modernes. Elles et il écrivent des histoires, incarnent des personnages au théâtre, à la télé et au cinéma, et partagent ici, en répondant à quelques questions clés, les nécessités et les cadeaux de leur métier.

Éliane Excoffier, photographe, leur fait écho avec sa sensibilité toute particulière. Préoccupée par le vaste sujet de la beauté, elle explore et suggère la sensualité et l'intimité, le rapport à soi ; elle allie sujet et technique en travaillant en *camera obscura* ou sténopé, sans caméra !

Créer est une manière d'appréhender le monde et d'être au monde, auront dit chacune et chacun. Comment susciter et maintenir cette pulsion et cet éveil ? Marie-Noël Mainguy, comédienne, clown, artiste de tous les instants, nous livrera quelques pistes et secrets comme elle le fait dans ses ateliers de yoga et ses ateliers pratiques axés sur la qualité de présence.

Côté musique, un beau hasard de plus. J'ai croisé Hélène Martinez, professeure de chant ; elle ouvre la voix, et, depuis un moment, fait un travail de vocalises avec des femmes enceintes pour créer un lien accru avec l'enfant dès la grossesse, puis pour faciliter les étapes et la délivrance ; thérapie initiale.

Côté danse, j'ai fait un choix inhabituel dans les circonstances, car il est rare de parler ballet classique et cure ; pour la discipline, l'idéal et la grâce : Geneviève Guérard, première danseuse aux Grands Ballets canadiens, *allonger l'échine*.

Finalement, pour unir ces fragments de vies d'artistes, j'ai demandé à Françoise Cloutier, psychanalyste formée à l'Institut Jung de Zurich, de nous entretenir de quelques grands thèmes : le processus d'individuation, l'utile et nécessaire accès aux émotions puis à l'inconscient, ce qui se cache dans nos déprimes, le dialogue possible avec nos voix négatives, l'outil qu'est l'interprétation des rêves et la pulsion de la création.

***

Cet ouvrage veut donc contribuer au vaste sujet du mieux-être. Il se veut nourriture pour cette quête intime que des milliers de personnes poursuivent depuis quelques décennies, ici comme ailleurs.

J'ai fait un travail d'orfèvre, j'ai monté en broche les rubis, les diamants et les émeraudes que chacune et chacun m'ont confiés. Elles et ils savent à quel point je leur suis reconnaissante ; sans eux, point de lumières, point de livre. J'espère de tout cœur que ces savoirs si généreusement partagés, ces confidences et ces fragments de vie, auxquels à la toute fin j'ajouterai les miens, servent votre histoire personnelle, votre art et votre quête ; c'est le but.

Une autre question m'a préoccupée, une chose ancienne, dont on ne parle plus vraiment, mais qui accompagne ma route et ma réflexion depuis très longtemps. C'est la fameuse affaire de notre difficulté à vivre depuis que nous avons été, paraît-il, chassés du Paradis terrestre !

Cette réflexion est merveilleusement rendue dans les mots suivants, rapportés par Jean Royer dans la préface du livre *Pointe-aux-coques* d'Antonine Maillet : «J'ai toujours cru qu'on écrit parce qu'on a perdu le paradis terrestre, m'a dit un jour Antonine Maillet. On est resté avec un immense trou à la place du cœur. On rêve d'un paradis, réel ou fictif, d'un monde où l'on serait heureux. Alors, on crée des personnages comme on crée un pays : pour remplacer ce trou-là[6]. »

Jean Royer ajoute : «Ce paradis perdu, c'est d'abord l'enfance qui est à l'origine des grands paysages. »

À cette question du paradis, chacune et chacun répondront avec autant de ferveur.

---

6. Antonine Maillet, *Pointe-aux-coques*, Montréal, Éditions Leméac, 1977, p. IX (extrait de la préface de Jean Royer).

« Les monarques s'assemblent au-dessus des verges d'or. Plus au sud, bientôt, ils formeront d'épais nuages pour entreprendre un voyage de plus de 4 500 kilomètres vers le Mexique et les Antilles. Ils ne voleront que de jour, faisant halte la nuit, sur des bosquets où leurs aïeux, avant eux, avaient élu campement. La plupart des mâles mourront pendant le voyage de retour, au printemps prochain : quelques femelles seulement nous reviendront, les ailes abîmées, portées par les vents d'avril. »

Robert Lalonde, Le vacarmeur

Fragments de vies d'artistes

Sophie
La peinture, tel un rempart dans la nuit

Je ne sais pas trop à quoi m'attendre en me rendant chez Sophie, car Hélène m'a clairement indiqué qu'elle souffre de maladies importantes, cancer du côlon et ostéoporose, pour ne nommer que celles-là. À travers les malaises et les médicaments, ceux qu'elle peut encore avaler et ceux qu'elle doit maintenant inhaler, la peinture est venue lui offrir un espace de bonheur et de liberté où elle peut déposer un peu de son passé trop lourd et de son futur incertain.

Elle ouvre et me jette un regard prudent, tente de cacher sa joie, mais je la devine. Elle m'entraîne à sa suite et nous atteignons le deuxième étage de la maison de ses parents où elle a dû retourner vivre. Sa petite chambre-atelier est bien installée, la lumière du jour entre par la porte-fenêtre du balcon ; bientôt, il y aura des fleurs. Aux murs, les tableaux montrent des paysages tranquilles où le bleu et le vert dominent. Elle m'indique un fauteuil, et sans que j'aie le temps de m'étonner sur le début de sa vie, m'entraîne ailleurs, saute les étapes, je ne peux que suivre, c'est moi maintenant qui s'accroche et cours derrière mots et confidences qui déferlent ; elle est comme rivière au dégel, rien n'arrêtera son flot.

Jumelle, gardée à la crèche même où sa mère naturelle lavait les planchers pendant sa grossesse, Sophie et sa sœur ont été adoptées ensemble. « Nous sommes de cette dernière vague de bébés d'orphelinat. Nous étions si nombreux que certains bébés dormaient dans les lavabos. À la fin des années 60, dans une volonté de vider les orphelinats, on a commencé à envoyer les enfants dans des familles en attendant des parents adoptifs. Ainsi, au cours des premiers mois de notre vie, nous avons vécu dans sept ou huit foyers différents, jusqu'au jour où sont arrivés nos parents actuels. Nous avons été très chanceuses. » Sophie mit plus d'une année à sourire, ne pleurait jamais, mais ne dormait pas non plus. Quand les parents ouvraient tranquillement la porte de leur chambre le soir pour voir si tout se passait bien, ils la trouvaient assise dans le noir, veillant, tandis que sa sœur dormait dans le lit à côté. « J'étais épuisée bien avant de commencer ma vie. » C'est encore pareil, elle dort à peine trois heures par nuit.

« Ma sœur s'est longtemps sentie coupable, ayant le sentiment d'avoir pris le meilleur, la santé, la joie de vivre, la force physique ; je suis née plus petite. Je nous imagine à l'orphelinat : elle a dû recevoir plus de soins, la cuillère devait passer tout droit quand venait mon tour, ma sœur est si flamboyante comparée à moi. Déjà au primaire, je croyais qu'on s'occupait de moi tout simplement parce que j'étais à ses côtés, ainsi on s'apercevait de ma présence… Longtemps, mes amies ont été les siennes. »

Elle se rappelle un petit événement qui se passe à l'école primaire justement. La titulaire habituelle est en congé de maternité et celle qui la remplace n'est pas douce, sa voix est autoritaire, agressive ; de plus, elle reproche à Sophie sa lenteur. Un jour, celle-ci est tellement terrorisée que, dans un geste nerveux, elle renverse un pot d'encre et se met à pleurer. Au lieu d'être consolée, comme de raison, elle se fait réprimander. L'épisode paraît anodin, mais Sophie mettra des années avant de trouver du plaisir à créer.

Longtemps, les petits bonshommes de ses dessins n'ont pas de bouches, les maisons sont sans fenêtres et aucun chemin n'y mène. « On peut en déduire que je ne me laissais pas approcher, mais je crois que l'ensemble reflétait plutôt mes premiers silences. Je ne parlais pas de mes malaises, je les taisais ; en fait, j'ai toujours eu honte de ne pas être bien, je n'ai à peu près jamais été bien. » Elle dessinera sans relâche un même personnage qui montre un corps réaliste mais le visage et les yeux trop grands, disproportionnés, semblables à ceux de Candi, la petite fille orpheline de la série télévisée. « Je pense que j'ai fabriqué un masque très vite, je pouvais imiter un sourire sans le sentir. »

Hospitalisée à l'adolescence – d'abord pour la mononucléose – autour d'elle, ses nouveaux amis se battent tous pour vivre : fibrose kystique, cancer, leucémie ; elle les voit mourir les uns après les autres. Au lieu de la décourager, chaque décès lui redonne une certaine force et le désir de combattre la maladie ; elle se doit de vivre pour ceux qui ne sont plus. Sa condition physique ne l'empêchera pas d'opter pour des études sérieuses :

sciences politiques au cégep, psychologie à l'université, chevauchement des études en maîtrise pendant le bac et cours d'anglais. Malgré de très bonnes notes, elle a toujours peur de ne pas réussir ; d'un examen à l'autre, elle est certaine de ne pas passer. Dans l'amitié, et plus tard avec des colocataires, elle use de stratagèmes : « J'ai planifié des stages éloignés pour faire de l'air, m'absenter un peu, pour quitter avant qu'on me quitte. » Une fois adulte, en plus de travailler en psychologie et en relation d'aide, elle s'implique dans sa communauté, entre autres auprès des femmes démunies ou violentées physiquement – il ne faut surtout pas s'arrêter. « Que vouliez-vous que je questionne ? Je ne savais rien de moi, rien de mes racines, de mon héritage, je ne pouvais que deviner. Je ne voulais pas aller au fond, je faisais semblant que tout était réglé et que j'avais accepté d'être une enfant adoptée. Je gagnais ma vie et je me disais que tout était correct, mais je traînais une tristesse et une solitude insupportables. Les maladies ont empiré, j'ai tenté de m'intoxiquer aux médicaments, puis j'ai fini par prendre des risques au volant. »

Au cours d'un certain séjour à l'hôpital, elle participe aux ateliers d'arts plastiques. De retour à la maison, elle se procure de nombreux livres pratiques qui montrent des exercices, qu'elle suit à la lettre : paysages à l'huile, marines, pastels, ainsi que des livres illustrés sur la vie des grands peintres. En faisant de la peinture son activité quotidienne principale, elle craint de ne pas arriver à être satisfaite de ses travaux, de ne jamais trouver ça beau, et comme elle est plutôt d'un tempérament impatient, elle veut des résultats tout de suite. « Les études universitaires nous incitent à l'excellence, mais aussi à la performance, on ne peut pas se permettre de rater quoi que ce soit, tout doit toujours fonctionner, tant l'obtention de bourses et de prêts que des travaux pratiques, on n'explore pas, on *performe* ! Avec la peinture, c'est tout autrement, on attend, on observe. La peinture a sauvé ma tête. »

Vint bien sûr le besoin de pousser son art plus avant, d'acquérir des notions supplémentaires et de partager sa quête. Elle a envie de travailler avec un autre peintre, de le voir tenir des pinceaux et appliquer des couleurs. Dans cette même période, on lui fait remarquer que ses tableaux sont tristes et que ses maisons anciennes semblent inhabitées. Ces remarques tombent pile et l'incitent à vraiment se mettre à la recherche d'un professeur qui voudra bien lui donner des leçons à domicile. « Ses visites hebdomadaires ont changé ma vie et, bizarrement, il en a aussi retenu quelque chose pour lui-même car il vivait une période difficile. Le fait de devoir se déplacer pour mes cours semblait lui faire autant de bien qu'à moi. Il était extrêmement doux et taquin, il me faisait rire. À ses côtés, j'arrivais à tout oublier et à relaxer. » Ces deux ou trois visites hebdomadaires revêtent une importance capitale et, cadeau ultime : elle se met à peindre la nuit au lieu de rester assise dans le noir à se ronger les sangs. « La peinture a nourri mon insomnie. »

Un jour, alors qu'elle se sent assez forte pour se déplacer, elle se rend chez le professeur pour sa leçon. Avant de s'installer au chevalet, elle passe un long moment sur le balcon pour admirer la montagne. Voilà qu'elle a un déclic formidable : l'espace d'un instant, elle est intérieurement transportée en Suisse, elle qui a toujours rêvé d'y aller ! Pourquoi la Suisse ? Parce que Heidi a bercé les heures de télévision de son enfance. Ce jour-là, elle touche à quelque chose de plus en peignant, une partie de sa joie et de sa force est ravivée par son souvenir d'enfant.

« J'ai peint mon plus beau tableau, je l'adore, j'ai le goût de rentrer dedans, j'aime sa profondeur. J'ai eu tant de plaisir en le faisant et j'ai pu traverser les niveaux de difficulté sans stress. » Dans les jours qui ont suivi, elle a changé la couleur des murs de sa chambre, mieux toléré les médicaments et fini par accepter les exigences de sa diète sans gluten. Des cours de peinture en groupe ont suivi ; *débloquée*, elle avait moins peur de se mêler aux autres ; il n'y avait plus rien à comparer, plus rien à perdre.

Éveil
Huile, 50 cm x 40 cm, 2003

Dans ses tableaux anciens, on voit des troncs d'arbres couchés, asséchés; dans les tableaux récents, les arbres sont fiers et droits. «Je reçois de l'admiration pour mon courage et ma détermination et j'explique tout le temps que je focale sur ce que j'ai et non sur ce que je n'ai pas; je suis en vie et c'est à moi de vivre aussi pleinement que possible.»

Quand vient la nuit, seule dans le silence et la pénombre, elle s'accroche à chaque trait de son tableau, davantage même quand les nouvelles concernant sa santé continuent d'être mauvaises. Elle s'accroche pour continuer parce que son cœur bat toujours et que sa tête est entièrement vivante. «Dans la quasi-noirceur, je suis obligée d'ajouter davantage de lumière dans un tableau; au grand jour, apparaissent des nuances et des intensités que je n'aurais peut-être jamais osées.»

Sa sœur est devenue maman et Sophie, marraine. C'est en regardant sa petite nièce grandir que Sophie se rend compte des nombreux soins nécessaires à un nouveau-né. «Je ne peux m'empêcher de penser à quel point ce fut difficile pour ma sœur et moi pendant les premiers mois de nos vies, les enfants sont tellement dépendants.» L'abandon et la mise en adoption obligée – car leur mère, qui les a cherchées et retrouvées 20 ans plus tard, leur a confié avoir hurlé lorsque les religieuses lui ont arraché des bras *ces enfants impures…* – l'ont fait réfléchir à l'ampleur possible du traumatisme vécu. «Ce n'est pas vrai que nous naissons égaux et que les chances sont égales, il y a des gens cent fois plus malchanceux que moi, d'autres qui sont cent fois plus chanceux. Malgré tout, à travers les hasards heureux ou malheureux, telle une tache de peinture au mauvais endroit, je me rappelle que cette tache est récupérable, que je peux faire quelque chose avec elle. Les choses s'enchaînent d'elles-mêmes, en revenant vivre chez mes parents, en retrouvant cette sécurité, j'ai connu ce professeur de peinture qui a fait toute la différence pour la suite de ma vie.»

Un jour à la fois, une heure à la fois, une minute à la fois, une maladie à la fois, un médicament à la fois, une allergie à la fois… Pendant la grossesse de sa sœur, elles ont bien rigolé. À chaque nausée, Sophie lui a répété: «Une nausée à la fois…» Ensuite, les filles s'en allaient jardiner. «Allez, allez, il ne faut pas faire sa petite nature, s'est-elle dit mille fois plutôt qu'une, la vérité c'est que j'ai une petite nature…»

Juste au corps, Sophie, juste au corps. Pas dans la tête, ni dans le cœur, ni dans les yeux, ni dans les mains.

Notre entretien achevait. Elle s'est lentement retournée vers la porte-fenêtre de sa chambre, posant un tendre regard bleu vers l'extérieur et, avec un sourire charmant, a murmuré: «Il me manque juste un gars!»

Petit questionnaire de création

Crois-tu que l'on crée parce qu'on a perdu le paradis?

Je ne sais pas. Mais j'ai vu d'où venait mon paradis quand j'ai peint mon tableau *Éveil*. La seule chose que je savais de ma mère biologique c'est qu'elle était acadienne (!). À travers les livres d'Antonine Maillet, j'ai appris la sensibilité et la culture acadiennes, mais je ne me sentais pas concernée, il n'y avait pas d'Acadiens autour de moi. Mes traces du rêve de paradis les plus concrètes sont nées dans ma rêverie d'enfant et correspondent à la Suisse. Quand j'ai fait mon tableau *Éveil*, je l'ai bien vu… Enfant, j'ai construit mon passé en imaginant que je venais de Suisse.

L'inspiration quotidienne?

De mon cœur, de mes émotions. Des petits coins ruraux, des objets. Des petits bonheurs dont j'entends parler. De chaque manifestation du vivant … des nouvelles pousses de mon jardin. J'attends les fleurs, j'ai hâte de les peindre. Pour moi, un arbre est un bouleau ou un chêne. Une fleur n'est pas un *motton*, mais un tournesol ou une tulipe; un arbuste, c'est un hydrangea! J'aime aussi sentir le temps qu'il fait dans un paysage, sentir le vent et le froid de l'air dans un paysage d'hiver, deviner les flocons. Je ne peins pas de personnage, je crois que c'est la personne qui regarde le tableau qui est le personnage.

En peinture, quel est le plus important?

S'avoir s'arrêter. Au début, mon professeur disait en riant: «Arrête de taponner! Ton tableau est parfait, si tu continues tu vas l'échapper!» Il faut savoir jauger. Non pas se dire que c'est parfait, mais se dire que c'est assez.

***

Il faudrait des gants de moutons pour garder les os de ses mains au chaud. De beaux gants de poils desquels émanerait encore une odeur mêlée de prés humides, de montagnes enneigées et de peaux de bêtes. Les poils s'empliraient d'huile verte, rouge, blanche, bleue...

Fabrique-t-on des gants de mouton en Suisse, au pays de Heidi ?

***

Il faisait très beau ce dernier jour de mars. En reprenant la route, je me suis attardée au pied de la montagne, sur un chemin un peu en retrait. Je suis descendue de voiture pour mieux sentir la chaleur du soleil plombant, du printemps retrouvé. Le gris de l'écorce des pommiers était allumé de rose. Rose couleur de sève qui renaît.

« Le peintre, comme le poète, fait aujourd'hui un travail de scaphandrier. Il descend. Il descend dans le lit de son fleuve à lui et cherche dans le navire qui s'y trouve noyé, entre deux eaux, les trésors qu'il y sait. »

Roland Giguère, Forêt vierge folle

France
De troublants enchaînements

Sur les murs de la maison de France, de grands rectangles clairs, remplis de traits et de mouvements aux tons vibrants. Posé sur une magnifique table en bois, un livre ouvert sur un tableau du frère Jérôme.

« Les couleurs me viennent de l'intérieur, comme des banderoles étincelantes qui serpentent, dit-elle, je ne fais que les suivre… Certains lilas et certains mauves, qui étaient si fréquents au début, ont disparu de mes tableaux ; je n'arrive plus à les rendre, mes gestes ont sûrement changé. » Depuis un moment, afin d'éviter la répétition et l'ennui, elle s'éloigne de la formule des *accidents* qui a servi à bâtir les premiers tableaux et explore d'autres avenues, telles ces couches de couleurs superposées, qu'elle gratte et sculpte ensuite pour y recréer des formes. Voilà qui dit un peu pourquoi elle avait d'abord choisi l'architecture de paysage pendant ses études. Rattrapé aussi ce temps de l'enfance, où, assise tranquille, elle esquissait personnages et chevaux, en noir et blanc.

Dans sa famille, l'intérêt pour l'art et la littérature n'a absolument pas manqué, mais il en faut plus pour considérer ces activités comme des voies ou des métiers. « Je me souviens qu'on avait diffusé une série documentaire sur la vie de Gauguin, je devins fascinée, enthousiaste, mais on a tenté de me décourager en disant que les artistes ne vivent pas de leur art… les artistes ne sont vraiment reconnus qu'après leur mort.» Quelle déception alors. Dans cette même période, France met la main sur tous les livres laissés derrière par sa sœur et ses frères: Camus, suivi de Guy des Cars; Michel Tremblay suivi d'Henri Troyat, ordre alphabétique oblige. La lecture nous apprend l'âme humaine et éveille notre propre sensibilité, pense-t-elle déjà. «Je me vois encore un livre à la main disant à voix haute: " C'est donc ça… C'est ça!"» Elle lit, fascinée, *Ulysse* d'Homère, quelques ouvrages de Rostand; les classiques lui montrent que, de tout temps, l'homme a cherché à comprendre ce qui l'habite et le pousse à agir. À l'école, elle fait partie de la troupe de théâtre, reçoit quelques honneurs et, dans ses temps libres, coud vêtements et chapeaux. Le 5ᵉ secondaire fini, le cégep amorcé, elle sent le besoin de se frotter au monde, de vivre toutes voiles déployées… et décide de finir ses études en ville. Elle se trouve d'abord un emploi comme serveuse de café, puis comme serveuse de bar. Les études seront mises de côté pour un bon moment. Sa consommation sera importante et sa vie assez éclatée. Nous sommes au milieu des années 80. Viendront une tristesse profonde et des questions sérieuses; elle a étiré la corde jusqu'au bout et se demande où cette route va la mener. Puis, un beau soir…

«Je rentre chez moi après mon travail, il est très tard, je suis parfaitement sobre mais très fatiguée et je n'arrive pas à dormir. Installée dans mon lit, je réfléchis tout simplement à ma vie. Soudainement, j'ai l'impression que tout s'efface autour et je me retrouve assise dans une sorte de brume. Au bout d'un moment, je sens une pression sur mon plexus solaire et j'aperçois un visage en semi-transparence en face de moi. Le visage se modifie en gardant les mêmes traits, il est tantôt heureux, tantôt malheureux, voire menaçant.» L'instant se prolonge, le visage continue d'osciller, France est absolument immobile et regarde le visage comme si elle regardait dans un écran. Soudainement, elle prend conscience de ce qu'elle est en train de vivre et s'écrie «Mon Dieu!» Le visage se fixe en projetant une parfaite impression de bonheur et, intérieurement, elle entend répondre : « Oui. » Elle s'abandonne sur son lit, en larmes, les bras ouverts. « Dans un éclair, je me suis dit : je viens de choisir de vivre. » Elle dort peu ou pas du tout cette nuit-là, de nombreuses pensées l'assaillent. Elle voit, intérieurement, s'enchaîner des visages malheureux de femmes inconnues qui évoquent tantôt la malveillance, tantôt la dureté ou la froideur. Elle pense aux douleurs humaines, à celles qu'on s'inflige à soi-même, à celles qu'on inflige aux autres. Son chagrin est entier. Au matin, son regard est semblable à une plage lavée par la marée. Tout s'est effacé, le jour est nouveau, la décision est facile à mettre en branle. « Fini les bars, se dit-elle, l'amertume, les aventures qu'on regrette, je dois tout changer. » Plus tard, un vieux prêtre à qui elle a raconté son extraordinaire expérience, sa renaissance, lui a dit : « On ne sait pas si c'est le bon Dieu ou si c'est le diable, mais une chose est certaine, on reconnaît l'arbre à ses fruits. »

Dans les mois qui ont suivi, elle a trouvé un lieu et des gens « bien établis dans leur foi qui sont vraiment ouverts et respectueux des démarches et des réflexions personnelles ». Elle assiste à des rencontres et à des soirées de méditation et d'enseignement, puis l'occasion de faire une véritable coupure s'est présentée. Elle a plié bagage, tout abandonné et s'en est allée vivre pendant trois années dans un institut séculier ! À cet endroit, le temps est consacré à la réflexion, à la prière et à la pratique des exercices spirituels de saint Ignace de Loyola, le fondateur des Jésuites. Ces exercices invitent à la réflexion et ont pour but de mettre l'être en contact avec son monde intérieur. Les histoires et images de la Bible sont utilisées pour entrer dans la visualisation. « On s'arrête à un passage où il est, par exemple, question de confiance, on tente d'imaginer la scène, de la rendre vivante sous nos yeux. Les images finissent par nous parler, il y a un retour, quelque chose en soi est activé, renforcé et répond. Le grand but visé est d'approfondir sa résonance intérieure, de vibrer plus intensément et plus sereinement aussi. Ces exercices de visualisation permettent de s'ouvrir à une dimension plus grande que soi et de parfaire ses réflexions et ses pensées sur la manière de conduire sa vie. »

Pendant ces années, elle aura l'occasion de terminer des études en communication et de trouver du travail. Et, comme on se prend à le souhaiter, de devenir amoureuse. Ensemble, ils ne mettront que quelques mois à planifier leur vie. Un hiver et un printemps passeront; à l'été, elle sera enceinte et ils commenceront la construction de leur maison, sur un coin de l'immense terrain des parents, juste derrière la grosse roche où elle venait s'asseoir enfant.

Un premier garçon est né, et quelques années plus tard, un second. La vie va, l'amour conserve son intensité, la spiritualité est intégrée. Pour se retrouver seuls de temps en temps et nourrir l'imaginaire et la réflexion, ils s'abonnent au théâtre. Ainsi, d'une saison à l'autre, ils prennent la clé des champs, c'est le cas de le dire, et descendent en ville. Au théâtre, France est fascinée par « les acteurs qui sont là, dans le noir, à incarner des hommes et des femmes en puisant au bassin même de leur vie pour montrer les mille sentiments et histoires humaines... » Nous sommes en 1999, grande année de théâtre à leur goût au Quat'Sous... « Cette année-là, j'ai eu l'impression que les acteurs en ouvrant leur âme ont ouvert la mienne, ils ont fait sauter les verrous de mon tiroir. » Dans les jours qui ont suivi, incapable de retenir sa pulsion naissante – « il fallait que je dépose mes émotions avant d'éclater » –, elle s'accapare des contenants de peinture : le vert qui a servi pour les armoires de cuisine, le bleu moyen qui a servi à peindre un meuble, puis un blanc. Sur une feuille de papier ordinaire, un petit coin de pays est apparu : ligne d'horizon, champ dévasté, quelques arbres et, en avant-plan, une clôture. Dans les tableaux qui ont suivi, peints à l'acrylique, tant avec les pinceaux qu'avec les doigts, les lignes se croisent et se confrontent, faisant aussi apparaître croix et clôtures; elle les a nommés « mes tableaux cruciformes », comme une prémonition.

Les garçons grandissent, et comme ses études en communication ne peuvent pas vraiment se faire dans sa région, elle choisit de suivre un cours d'infirmière, terminé avec brio. Le premier emploi trouvé est une suppléance au service psychiatrique d'un hôpital. Les responsabilités sont habituelles : voir le patient, contrôler la médication, parler avec les familles et vaquer aux tâches cléricales. Un dimanche soir, alors qu'elle est de garde, un jeune homme d'une vingtaine d'années est amené ; à son dossier, on peut lire qu'il a plusieurs fois tenté de se suicider. Dans les jours qui suivent, en faisant sa ronde, alors qu'elle se rend à son chevet, elle trouve le lit vide. Elle part à sa recherche sur l'étage ; dans cette aile, les patients, sous surveillance, circulent librement. Elle ne le trouve nulle part, revient sur ses pas, refait le parcours : salle de douche, chambre, salle commune… Prise d'une intuition, elle arrête un préposé et lui dit : « Il faut absolument le trouver. » Elle retourne vers le balcon de l'étage, qui est parfaitement sécuritaire avec son grillage de métal, mais le balcon est en forme de « L » ; ainsi, à partir de la porte, on ne le voit pas en entier. Cette fois, elle décide d'ouvrir tout grand. L'homme s'est pendu au grillage. En attendant du secours, elle a soutenu son corps. Les yeux fermés à la fin de cette histoire, elle a ajouté : « Je n'ai qu'à me concentrer et je me rappelle tout de suite son poids sur mon épaule… »

Une grande colère l'a longtemps habitée, colère de n'avoir rien pu faire pour cet homme, d'être arrivée trop tard. Le triste événement a soulevé bien des fatigues. Quelque six mois plus tard, un autre drame l'a laissée sans force et sans défense, accablant cette fois la famille entière, dont un des membres s'est suicidé. « C'est comme si on avait été frappé par un dix-roues », dit-elle. Ses parents ont longtemps gardé le silence, son père a fini par consulter, car comment peut-on survivre à ses enfants ? Cela, il a fallu que quelqu'un le lui explique. Sa mère n'en dit toujours rien, il n'y a pas de mots, ou un seul : survivre. Continuer. Pour soi, pour ceux qui restent, parce qu'on ne peut pas faire autrement.

La vie reprend son cours mais France demeure craintive et inquiète, tout lui semble à risque. Elle abandonne finalement cet emploi pour un travail de visites à domicile qui comporte aussi sa part de difficultés : « On entre souvent dans la misère quand on entre chez les gens, confie-t-elle. On se sent généralement impuissante et désolée. » Elle tient la barre, mais quelque chose est cassé en dedans. Elle garde sa patience avec ses enfants, mais doit demander de l'aide pour elle-même. Diagnostic : troubles de stress post-traumatique ! Il fallait maintenant panser les blessures, reconnaître et respecter leur valeur, impossible de les taire. Il ne s'agit plus de continuer sans déposer le lourd bagage, comme frère en soi. Cette fois, « pas de coups de pied dans le derrière pour continuer ».

Au cours des mois suivants, elle a quotidiennement gravi la dizaine de marches qui mènent à la magnifique pièce qui surplombe le cœur de la maison. Accroupie au sol, au bout de chaque tableau, le visage baigné de larmes, elle se dit : c'est moi qui ai fait ça ? Moment d'oxygène sur la terre.

Il n'est pas rare qu'à la fin de la journée, en rentrant, garçons et mari la retrouvent pleurant et riant tout à la fois, branchée sur des musiques plein volume : Janis Joplin, qui peignait m'apprend-elle, Eric Clapton ou Sinead O'Connor. Les jours de sensibilité et d'attention particulière, elle écoute Ogeret chanter Aragon. Depuis quelque temps, c'est Pierre Lapointe qu'elle écoute en loupe. Il lui arrive de peindre en silence aussi, maintenant que les voiles brisées sont ramassées et recousues par endroits. Elle cultive la confiance dans ses gestes et, surtout, fait vraiment confiance à la toile. « L'angoisse se reconnaît un peu d'avance et elle n'est pas toujours présente ; au contraire, elle est souvent remplacée par un sentiment de bonheur et d'équilibre, par une fierté aussi.

« Il y a une intelligence des mains, une intelligence non rationnelle. Les mains sont capables d'accomplir sans qu'on leur dise, elles savent quoi faire. Je pars de l'émotion et je laisse à mes mains le soin de créer.» L'art n'est pas moins important que le sport, affirme-t-elle, tant pour le défoulement que pour exercer son être, corps et âme. Rieuse, elle ajoute: «Il faut que le conjoint d'une artiste ait du caractère car il doit survivre aux trop-pleins, être capable de les prendre avec un grain de sel et attendre que la tempête passe.» Elle rappelle un moment de la télésérie *Montréal P.Q.* de Victor-Lévy Beaulieu: Orize, l'enfant autiste, arrive dans l'atelier du peintre et émet des sons enthousiastes en mettant ses doigts dans les pots de couleurs comme si elle avait compris que quelque chose allait apparaître. Éternelle pulsion de mettre les doigts dans les pots et les mains sur les murs.

Tout au long de cette année, la quête de France s'est approfondie. Mouvement, équilibre et transparence sont devenus ses leitmotivs.

Alizé
Acrylique, 76 cm × 61 cm, automne 2004

Chinook
Acrylique, 71 cm × 56 cm, automne 2004

Un jour, elle voulut faire encadrer un premier tableau. «En sortant de la maison avec la toile, je savais bien que j'allais m'exposer aux critiques et au jugement des gens. Peu importe, me disje, ce qui compte, c'est comment moi je me sens par rapport à mon travail. Depuis le début, je choisis les gens à qui je montre mes tableaux, justement pour être en sécurité par rapport au jugement. Donc, dans le premier magasin d'encadrement, l'homme prend le tableau, le tourne d'un côté, puis de l'autre et me demande ce qu'il représente. Je lui réponds que ce n'était pas mon but de représenter quelque chose de précis et que ce tableau est tout simplement un tableau automatiste. Il a murmuré quelque chose d'incompréhensible et je me suis tout à coup sentie mal. C'était la fin de la journée, presque l'heure de la fermeture de la boutique, et comme il a vu mon hésitation, il m'a lancé : "Repassez donc demain !" Je suis ressortie en me disant : "Non, ce n'est pas lui qui va procéder à mon premier encadrement, jamais !" »

Quelques précieuses leçons dans l'enseignement du frère Jérôme ?

La création est une énergie d'amour, une manière d'accéder à son potentiel intérieur. Le plus difficile est de vaincre la peur du ridicule, il faut alléger son jugement critique, ne pas faire sien le regard de l'autre et se faire confiance. Les toiles se valent toutes, elles occupent chacune leur place dans une démarche créatrice…

En peinture, le plus important c'est… ?

Le mouvement.

À quoi sert la création ?

Elle sert l'humain. Elle sert à croire en l'humanité, à entretenir l'espérance.

C'est vrai qu'on peint parce que on a perdu le paradis ?

J'ai peint par urgence, ensuite par nécessité, par bonheur. Je relie la notion de paradis à la quête du bien-être à entretenir.

Continuer, évoluer, s'accomplir. Le paradis, c'est s'accomplir, se projeter en avant… quoi de mieux qu'une toile.

***

Son livre-phare des dernières années : *Les femmes qui courent avec les loups*, de Clarissa Pinkola Estés.

***

À partir de la salle à manger ou de la terrasse de sa maison, on voit le début des Laurentides. Quand on regarde plus bas, on aperçoit le clocher d'une église. Nous avons marché jusqu'au bout du chemin sous un vaste ciel lumineux. Avant de partir, je suis allée saluer ses parents. Son père m'a raconté qu'une fois à la retraite, il a été invité à reconstruire l'autel de l'église. « On avait mis la table ancienne, faite de bois nobles et de dorures, 150 ans au moins, dit sa mère, à la poubelle ! On voulait quelque chose de moderne ! » Il a récupéré le bois défait, les planches éparses, et, pendant de longues semaines, il s'est mis tout entier à la tâche de recréer les personnages qui apparaissaient sous l'ancienne dorure. C'est ainsi qu'il s'est mis à la sculpture : « Ça m'a donné le goût », dit-il avec un large sourire et des yeux clairs comme le jour. La mère acquiesce. Au mur, de petits tableaux montrent des paysages où la forêt domine ; ils sont son œuvre à elle. Leur ancien chalet rénové en maison, leur lieu, sont comme des images de contes. J'ai quitté leur beau coin de terre, en ayant le sentiment de quitter un sanctuaire.

En m'y rendant ce matin, j'étais à peu près seule sur l'autoroute 25 en direction nord. Entre les voies apparaissaient de lumineux triangles d'or pâle formés par des blés sauvages qui avaient survécu au froid. Sous l'ardent soleil, l'espace d'un éclair, ces triangles jaunes et ce carré de ciel bleu lavande au-dessus sont apparus comme un tableau ! Sur cette route, au petit jour, mon auto était cheval et moi j'étais libre.

Dans l'horizon du soir tombant maintenant, des couleurs inouïes : chair de pomme, vert brocoli à la crème, mauve… Là-bas, au fond, une volée d'oies blanches, les bernaches du Canada migrant vers le nord… jusqu'à la terre de Baffin, m'a-t-on dit. Merveilleux printemps !

« Sous la main ferme du peintre
L'homme sans culture reprend espoir. »

David Alfaro Siqueiros
(Chihuahua 1896 – Mexico 1974)

Serge
Mener son combat, sauver son talent

Au cours d'une discussion à saveur philosophique, un de ses amis lui a demandé : « Que feras-tu le premier matin où tu seras libre ? » Serge a répondu : « J'vas prendre un deuxième café ! »

C'est ce qu'il a fait. Le premier matin de sa liberté entière, un lundi, il s'en est allé à Longueuil, chez cet ami-là, boire un second café. L'après-midi même, il a pris la route. « Il n'était pas question de rester autour de la maison à rien faire… »

Pour trouver chance et protection, il se rend au village de Saint-Bernard-de-Lacolle où son père est enseveli ; il veut partager avec lui son nouveau projet de vie. Au bout d'un moment, il installe son chevalet sur le trottoir, en direction de l'église. Une dame qui passe tout près lui lance : « Vous peignez, monsieur ? » « Oui, a-t-il répondu, je commence, c'est aujourd'hui que je deviens peintre ! » Deux années plus tard, tous ses amis du temps de la pub sont invités à sa première et superbe exposition solo au vieux presbytère de Saint-Bruno-de-Montarville. Tout le monde est content, personne n'est surpris, c'était certain que *Babeux* allait réussir son coup.

Issu d'un milieu ouvrier, chez lui, la bibliothèque n'est pas garnie, mais il y a, comme dans bien d'autres foyers, du cœur et du talent. Son père a été un mécanicien exceptionnel ; lorsqu'un outil n'était pas adéquat, d'instinct, il en inventait un, mieux adapté à la tâche, comme ce polisseur de pièces de métal usinées qui sert encore. Il a légué à Serge l'habileté et la force de ses mains.

Quand il est enfant, pour boucler les fins de mois, la famille loge un chambreur, ce qui était assez fréquent, et celui-ci dessine. Serge est fasciné par les visages en noir et blanc qui apparaissent sur le papier. «Des gens font ça, se dit-il, il y a des gens qui dessinent!» Tandis qu'on termine le repas du soir et qu'on s'attarde en discutant, son attention est ailleurs. Il observe le chambreur par la porte entrebâillée qui donne sur la cuisine et finit par l'imiter, en dessinant directement sur la table en *arborite* avec le crayon de plomb qui a servi à ses devoirs. Après le souper, sa mère passe et repasse un linge humide qui efface tout. Le lendemain, Serge recommence.

Le primaire passe, le secondaire aussi, sans trop de casse. À 18 ans, pour «connaître ses talents», il rencontre un orienteur dans un centre d'emploi. On lui pose des questions sur ses intérêts personnels et on lui fait passer des tests, comme celui-là qui consiste à insérer des objets les uns dans les autres, un peu à la manière d'un puzzle tridimensionnel. «Les tests ont montré que j'étais habile de mes mains, que la mécanique serait pour moi une chose facile, que j'étais aussi enclin à concevoir et à créer. Conclusion: j'avais des talents de créateur. Je suis ressorti de là complètement abasourdi.» De retour à la maison, alors qu'il partage son aventure, on lui raconte une anecdote qui sera déterminante. Un de ses oncles avait suivi, à ce qu'on disait avec grand succès, un cours en arts graphiques. Une fois le cours terminé, l'oncle a été invité à se présenter dans un studio pour un emploi. Le jour de l'entrevue, terrorisé et certain d'être absolument incapable de faire ce travail, l'oncle est resté figé au bas des marches et ne les a jamais gravies. Il devint coupeur de tissus dans une usine de fabrication de vêtements. À la fin de cette histoire, Serge s'est levé et, fébrile, a lancé à la ronde: «C'est pas vrai, il est passé à côté de sa vie… On n'a pas le droit de passer à côté de sa vie…» Sa décision est prise, il s'inscrira à un cours d'arts graphiques. Un autre petit incident viendra consolider son choix de manière définitive.

Il est assez rebelle intellectuellement et comme tous ceux de la génération du *flower power*, il rêve de refaire le monde autrement. À la suite d'une soirée passablement enfumée, il se réveille en prison pour possession de marijuana. Le choc! L'absolu choc! Plus de peur que de mal, et une bonne étoile : pas de dossier, pas de condamnation. «Emprisonné, j'ai réfléchi à l'orientation de ma vie, mais pas très longtemps, car l'idée d'être renfermé m'a rendu malade. Tout de suite, je me suis dit que mes cours en graphisme étaient plus importants que tout, qu'ils allaient être mon combat et que rien n'allait m'empêcher de réussir, j'allais faire *quekchose* avec moi-même…» Quelques années plus tard, son portfolio regorge de dessins en noir et blanc; sur le dessus de la pile, le portrait de l'homme qu'il admire le plus, Che Guevara, et juste en dessous, un autre portrait au fusain d'un homme qu'il admire tout autant, Albert Einstein. Nous sommes en 1969. Un petit studio anglophone du centre-ville de Montréal l'engage pour faire la mise en page de catalogues et d'annonces publicitaires imprimées; il a 21 ans. Le premier jour, le propriétaire lui remet une boîte de carton contenant des outils plus ou moins en bon état et lui dit : «Tu trouveras tout ce qu'il faut là-dedans pour te monter un *air brush*…» Voilà comment son talent de mécanicien fut mis à profit d'entrée de jeu.

Rapidement, il se démarque en proposant un style personnel. Plus tard, un nouvel emploi l'amène à développer des talents connexes, dont la photographie; il aura à aménager des kiosques promotionnels pour de grands salons. Les clients sont toujours anglophones; il se rend à New York, à Toronto. Il fait aussi des rencontres et noue des amitiés qui permettent des échanges importants, comme avec cet Allemand et ce Tchèque, illustrateurs et créateurs comme lui. Ces Européens, formés dans de grandes écoles d'art figuratif, finissent par élargir ses horizons et lui donner envie de peindre; premier spleen, il ne veut plus utiliser son talent commercialement. Le goût lui prend de tout abandonner et «d'aller travailler physiquement… de conduire un bulldozer», mais le destin est au rendez-vous.

Un soir, il feuillette distraitement un magazine spécialisé en marketing et une offre d'emploi retient son attention: on cherche un créatif capable de pondre des campagnes qui sortent de l'ordinaire! Il y voit immédiatement la possibilité de dépasser l'imprimé et d'imaginer des concepts pour la télévision et la radio; on a mentionné «pondre»… Il sort acheter une douzaine d'œufs. Il peint les œufs en or, l'emballage en noir, et s'en va de bon matin, le pas certain et le cheveu léger, porter sa douzaine d'œufs. Il est engagé. L'agence est importante: il s'agit de J. Walter Thompson, anglophone encore, mais l'équipe de création est francophone. Il s'imposera. C'est dans sa nature. L'aventure de la pub renforcera ses positions et son talent, il sera parmi les directeurs de création de son époque à disputer les coqs d'or et d'argent. Il s'associera plus tard pour fonder sa propre maison de publicité, qu'il revendra. «Plus de vingt ans à vendre des pneus, du fromage, de la bière, des céréales, des biscuits, des petits pois et des boissons gazeuses… en panneaux, en télé, en radio, et double page couleurs commandée l'avant-veille de Noël ou la veille de la Saint-Jean, c'était assez… J'avais donné!» Il avait fait ses preuves aussi, satisfait ses clients, avait vécu confortablement avec sa famille et procuré du travail à pas mal de gens, il était temps de penser à lui. «Devenir peintre prend combien de temps? s'est-il demandé. Un autre vingt ans? J'ai le temps de faire quelque chose de potable!» Il a 47 ans, nous sommes en 1995, au moment du tableau de la première église.

Seulement, il n'avait pas prévu qu'il ne serait pas si facile de se retrouver chaque matin seul, devant un canevas tout neuf, après avoir bossé 10 heures par jour… «Tout à coup, je me suis senti inutile… Je n'avais plus d'agenda, plus personne à rencontrer, pas de *meetings*… Je n'avais plus ce cadre qui rend la vie légitime et j'ai commencé sérieusement à me demander qu'est-ce que ça donnait de faire une toile ? » Ce questionnement inattendu engendre une déprime qui dure deux années. «Y en a qui en meurent, de tomber à la retraite», me dit-il, comme s'il y avait échappé. L'envie de réussir fait quand même son chemin, c'est une de ses qualités, il a la tête dure et quelque chose à dire et à prouver encore. Il aime parcourir les campagnes et les villages: peindre les églises du Québec devient son nouveau combat. On a délaissé la foi et les églises, elles sont belles, signifiantes, extraordinaires, remplies de trésors posés là par des artistes, leur architecture est une splendeur. C'est décidé, il en fera le tour. «Il fallait que mon projet ait une dimension sociale, qu'il communique quelque chose, qu'il ait une raison d'être, qu'il soit justifié à mes yeux.» Il achète une automobile rouge afin qu'on le voie bien à distance, car il sait à l'avance qu'il s'arrêtera sur le bord des routes chaque fois que le paysage l'inspirera. Il part deux, trois ou quatre jours à la fois, il peint et prend de nombreuses photographies. «J'ai eu le sentiment d'appartenir à mon pays. La route n'était jamais la même, j'étais constamment en voyage, mais chez moi. J'avais le temps de voir la saison passer, le temps de respirer, de discuter avec les gens, d'apprendre leur histoire.»

«Les oies blanches suivent le Richelieu, me dit-il, comme s'il y était encore. Que voient-elles à cette altitude ? La rivière qui scintille, les maisons comme des jouets, les toits et les clochers des églises comme autant de relais, jusqu'au Saint-Laurent!» Ce jour-là, il s'est placé en position de vol, la tête remplie de ciel et de nuages. «J'ai eu l'impression d'une liberté incroyable, j'ai franchi un cap en dedans.» Un tableau, imaginé à vol d'oiseau, a été présenté lors de la première exposition; il montre la rive et les églises égrenées le long du Richelieu, de Noyan à Sorel, qu'il a d'abord rassemblées en croquis, à l'aide de photographies. «Dans l'aventure des églises, j'ai commencé par une représentation assez juste, pour tranquillement m'inspirer de l'architecture propre aux églises, plus gothique… Même les personnages et les paysages autour, les montagnes et nuages ont pris l'allure et la forme des églises, j'ai tout uni.» La terre comme maison, pendant un certain temps, de Saint-Bernard-de-Lacolle à l'île d'Orléans, puis le mur. Sa conjointe, assez faible depuis plusieurs mois, est hospitalisée ; diagnostic : tumeur au cerveau. Terminé les déplacements, la vie entière doit être réorganisée. «Je suis devenu le gardien, le soutien moral, l'infirmier à domicile, mon plan s'est effondré. Ça ressemble à une guerre, nous avions le sentiment de vivre en ayant peur qu'une bombe explose... Tu sombres dans la maladie, tu es l'aidant naturel, jour et nuit, disponible à l'affreuse chose qui a envahi la vie. Pendant ces années-là, ma palette de couleurs a changé, j'allais sans cesse vers des tons plus sombres.»

C'est à ce moment-là aussi qu'il commence des ateliers de modèles vivants ; il cherche des mouvements, des états, il cherche à expliquer ce qui se passe dans un corps. «Lorsqu'on peint, on s'inspire de tout ce qui nous entoure. On ne s'en rend pas toujours compte, mais quand on décide de peindre un personnage ou un paysage, en fait, on est en train de raconter une partie de notre histoire. Tout transpire et finit par apparaître soit dans un regard, soit un geste ou une position d'abandon. En peignant des corps, on apprend beaucoup sur soi-même, sur son propre corps, on finit par se voir. C'est presque une thérapie, on exprime quelque chose à travers le corps de l'autre, puis on se pose des questions sur le vieillissement, la santé, les raisons d'être là.» Il entreprend un projet qui donnera 36 petits tableaux de 15 cm × 15 cm. Il travaille avec le même modèle, pendant plus de trois mois ; il cherche et trouve «36 façons de montrer l'intimité». Trente-six manières de se sentir – un puzzle humain à assembler. Dans cette période intense, extrêmement fermée, il cherche «quoi vivre» à l'intérieur tandis qu'au dehors se joue un drame sur lequel il n'a aucun pouvoir.

«Il s'est tellement occupé de moi que j'en étais inquiète pour lui, me dit sa femme. En fait, tout le monde ne s'occupait que de moi.» Les traitements de chimiothérapie et de radio-thérapie ont duré deux années; elle a tout supporté, allant d'une sieste à une courte randonnée, à une nouvelle sieste. Un livre fut important: *L'aventure d'une guérison*, du Dr Carl Simonton. «Dans toute la liste des causes possibles des cancers, rien ne me concernait, dit-elle. Sinon, peut-être, une sorte d'absence de spiritualité, un manque de lien avec ma vie intérieure. Je n'y accordais à peu près pas d'importance, j'étais hyperactive, occupée, concrète.» Elle s'est mise à méditer, en groupe, pour retrouver une sorte d'équilibre dans son chagrin. Au bout d'un certain temps, elle s'est fait la promesse de ne plus fermer les yeux quand les choses ne lui convenaient pas. Le plus grand acquis est sans doute la «bouffée de bonheur» qu'elle prend chaque fois en marchant et en s'attardant aux beautés sur son chemin, ce qu'elle n'avait pas l'habitude de faire. Il y a aussi maintenant quelques beautés au bout de ses mains, car elle tra-vaille le vitrail avec grande habileté. Un retour de la maladie est toujours possible, mais pour l'instant, tout se passe bien, même les quelques jours de travail hebdomadaire à temps partiel.

En attendant de reprendre la route des églises, Serge a mis sur pied une école de peinture à Sainte-Julie. Il assiste à quelques comités; en fait, il court partout, comme avant en agence, vi-brant et impliqué.

Le plus facile en peinture?

Les croquis. Le travail, c'est la toile. Picasso disait qu'il est bon de faire des croquis avant de peindre, mais il ne faut pas que le croquis dicte la peinture, on ne doit pas copier son croquis. Le croquis est comme une orientation, il faut finalement le laisser de côté et suivre son instinct. Il est bon de remettre les choses en question.

Le plus difficile?

Donner au tableau et à l'image une approche personnelle. Quitter le connu pour explorer des zones inconnues. Souvent, on revient au figuratif plus classique pour se rassurer. Le combat est avec le connu, avec soi-même. Il faut vaincre la peur. Je dis toujours à mes étudiantes et étudiants qu'aucun de leurs gestes ni aucun de leurs choix ne feront «exploser» la toile. Il faut oser. Ne pas avoir peur de faire une mauvaise peinture ou de faire une erreur. On peut la garder, on peut la jeter, peindre par-dessus… On fait comme on veut!

Le for intérieur
Huile, 61 cm × 122 cm, 2000

Comment vaincre la peur ?

Par la connaissance.

La lumière ?

Il ne s'agit pas simplement de décider d'où la lumière vient. Il s'agit de sculpter la forme à l'aide de la lumière, on peut décider que la lumière vient de partout.

L'ombre portée ?

Elle donne la présence à des objets qui ne sont pas nécessairement visibles dans la toile. C'est, par exemple, au sol, la trace de l'ombre d'un arbre qui n'est pas dans le tableau ; sur l'écorce d'un arbre, c'est l'ombre de l'arbre d'à côté.

La meilleure manière d'apprécier un tableau ?

Être contemplatif, faire le vide à l'intérieur, ne le comparer à rien d'autre qu'à lui-même. Se laisser aller à regarder et à découvrir le travail de l'artiste, son effort, son audace et son coup de pinceau. Il faut parfois aussi entendre le cri contenu dans le tableau sans avoir peur.

La création sert à quoi ?

À stimuler l'intelligence !

À la personne qui le contemple ?

Il peut se dire que l'être humain peut faire des choses extraordinaires ! Ça aide à croire.

La place de l'amitié et de l'amour ?

Essentielle. Indispensable. C'est le moteur. La muse, c'est l'amour. On a besoin d'être apprécié, aimé, reconnu, nécessaire. Physiquement, émotivement. L'art, c'est une passion. La passion nourrit la passion. Tout le monde a besoin de reconnaissance. La reconnaissance est liée à l'amour… Si tu es apprécié, tu te dis que tu fais quelque chose d'utile… [Rêveur, il ajoute :] Un artiste a souvent l'impression de vivre une double vie, de vivre dans deux mondes, celui du concret, donné là, et l'autre… La peinture est un peu une maîtresse !

C'est vrai qu'on crée parce qu'on a perdu le paradis ?

Oui ! Antonine a raison. La création donne un fort sentiment de sérénité. Quand j'étais enfant, je me souviens encore m'être appuyé sur un arbre, je regardais tout autour de moi, je respirais l'odeur de la terre, j'écoutais les bruits, j'observais la lumière et j'étais vraiment serein. Quand je peins, je suis serein, c'est un espace et un moment qui m'appartiennent en entier – ce n'est pas quand tu vends une toile, ça n'a rien à voir, ce n'est pas non plus le moment où tu organises une exposition, c'est le moment où tu es dans ta toile, dans ton labyrinthe de lignes et de couleurs, c'est ça le paradis, c'est créer.

Il dit encore que la peinture est très concrète ; on travaille avec des outils : pinceaux, crayons, spatule, toile, puis il faut voir aux encadrements… Il y a assurément un aspect technique à la peinture qui requiert pas mal de débrouillardise.

Il aime l'eau, le vin, le sourire de quelqu'un sur lequel il peut s'arrêter un moment, la voile. « La voile, c'est le silence, l'espace, le ciel, le clapotis, la force de la nature… l'immense force du vent. Je me sens vraiment sur une autre planète quand je suis sur un voilier… Y a des gens qui n'ont chez eux que la liberté de s'enfermer dans les toilettes pour pleurer… Faut sortir du nid. Moi, j'ai besoin de prendre l'air et l'eau pendant qu'il en reste ! »

Ça fait dix ans qu'il peint depuis le second café.

***

Aube

Au milieu des années 80, un dimanche d'octobre, nous étions allés peindre à l'extérieur. Serge était venu me chercher très tôt, j'avais fait du café, quelques sandwichs. La brume du matin n'était pas encore dissipée, et dans le lointain, à l'orée des premiers boisés sur l'autoroute des Cantons de l'Est, nous avons vu courir des chevreuils et des biches. Je n'en demandais pas tant.

Au bout d'une bonne heure, nous avons quitté l'autoroute pour suivre un chemin qui mène à l'intérieur des terres. Il s'agissait maintenant d'y aller d'instinct, de prendre à droite ou à gauche, jusqu'à ce que nous trouvions un endroit qui nous inspire tous les deux. Finalement, au bout d'un tournant, une superbe colline offrait une vue splendide du ciel et, tout près, des arbres immenses, sombres et clairs, aux tons rouge et or de la saison.

Je suis allée sonner à la maison d'en face pour demander la permission d'installer nos chevalets. Permission accordée.

Installés dos à dos, afin d'avoir chacun un point de vue libre devant, nous avons peint pendant de longues heures, en silence. L'air était doux, encore chaud ; une de ces journées d'automne qu'on voudrait vivre à l'année.

Est venu un moment étonnant, inouï, un moment de grâce, où je n'ai plus senti de différence ni de frontières entre moi, l'arbre et le pinceau que je tenais. J'étais ce pinceau, cet arbre et cet air autour. Je me sentais transparente et vivante. Ma pensée est devenue une sorte de conscience claire et pleine et je souriais, affranchie de quelque chose ! Cela fut un éblouissant 5 octobre. Je me le rappelle chaque année, comme un anniversaire.

« Un jour je me suis mis à peindre un trou d'eau abandonné par la marée descendante, ça bougeait là-
dedans, ça grouillait. Il y avait des poissons, des coquil-
lages, des remous. Mon tableau était plein, empâté.
Quand je l'ai montré à des amis, ils m'ont dit : « Ah !
Mais c'est non figuratif ! » « Pas du tout, leur ai-je répondu, j'ai peint exactement ce que j'ai vu. »

Jean-Paul Riopelle,
entretien avec Pierre Schneider, 1981

Cristina
Horizons intérieurs et grands voyages

« Peindre et voyager se ressemblent. Se déplacer et observer des paysages inhabituels éveillent des sensations. Parfois, certains états intérieurs qui apparaissent sur la toile me surprennent, ils m'étaient jusque-là inconnus. »

Avant d'aborder la peinture abstraite, Cristina a peint animaux et personnages imaginaires, puis elle a exploré des surfaces texturées auxquelles elle ajoutait des mots. « Il ne faut pas avoir peur de s'aventurer, dit-elle. Il nous faut surtout reconnaître certains carrefours, par exemple, quand on voit apparaître une forme nouvelle de laquelle on pourra tirer plusieurs toiles. Un peintre moins expérimenté s'attachera à ce qu'il connaît et se dira : ce n'est pas ce que je voulais faire, donc ça ne vaut rien. C'est très important de garder une ouverture envers ce qui advient ! »

Cristina est née à Montréal d'une mère francophone et d'un père espagnol, tous deux professionnels. Elle a vécu dans un milieu à la fois aisé et cultivé. Au début des années 60, après la séparation de ses parents, elle se retrouve, avec sa mère et ses deux frères, à Los Angeles, en plein cœur de la *pop culture*, et malgré l'adolescence, elle ne s'y sent pas du tout à l'aise. Ce n'est que quelques années plus tard, en 1969, à San Francisco, où le style de vie et l'ambiance ont une saveur plus européenne, que naîtra véritablement en elle le goût de la culture et de l'art. Elle a 17 ans. Entre les gagne-pain, les études et les aspirations, la lutte est de taille. Sa sensibilité extraordinaire, alliée à son esprit critique et à sa rigueur naturelle, l'oblige à une quête insoupçonnée ; accéder à la peinture n'est pas si facile, être satisfaite de ses travaux et dénicher le bon professeur non plus. « On peut étudier le dessin avec différents professeurs, on apprend ce qu'il y a à apprendre et c'est très bien, mais, pour la peinture, il faut éventuellement étudier avec un professeur qui est sur la même longueur d'onde que soi, c'est la seule manière d'évoluer et de trouver une direction à son travail, sinon, quelle que soit la qualité du professeur, ça ne marchera pas. On ne peut pas aller n'importe où, car on peut se perdre et perdre beaucoup de temps ! »

Au cours des années 80, elle a eu la chance de s'installer dans la mythique Long Island où ont vécu plusieurs peintres de la New York School, entre autres De Kooning et Pollock. L'esprit de ces peintres qui ont contribué à bâtir la renommée de l'art abstrait américain n'y est plus vraiment présent, mais le lieu et la lumière qui ont nourri leur art sont les mêmes. La lumière de Long Island est réputée pour sa blancheur, qu'on attribue à l'étroitesse de l'île entièrement surplombée par l'extraordinaire et constant reflet qui joue sur l'Atlantique. Partout sur l'île, on trouve des terres cultivées et des maisons de ferme. « L'été, l'endroit est couru, mais l'hiver, on y est coupé de tout. On traverse l'île en roulant au milieu des champs ; c'est une formidable expérience que de ressentir cet espace ouvert entre ciel et terre autour de soi. » Sur la côte Est, ajoute-t-elle, les couleurs sont tamisées, subtiles, elles inspirent une palette bien différente de celle de la côte Ouest ; en Californie par exemple, les couleurs sont plutôt saturées.

Après Long Island et la piste américaine, vient le moment de s'abreuver aux sources plus anciennes, direction l'Espagne, où elle a quelque famille. À Madrid, elle visite expositions et musées, passe de longues heures au Prado à observer et à étudier les tableaux de Vélasquez, de Goya et d'El Greco ; ceux des vénitiens, Titien et Véronèse, puis ceux des flamands, en particulier Rubens, celui, dit-elle, qui a le mieux saisi comment créer un espace tridimensionnel dans l'espace plat et restreint d'une toile. « Il faut se poser la même question que Cézanne s'est posée : qu'est-ce que Rubens avait compris ? Le volume, doit-on répondre en premier. La surface plane d'une toile appelle un certain volume. Par exemple, au centre d'un tableau, les arrondis seront plus importants, plus marqués ; plus on s'éloignera du centre, plus le volume perdra de son importance. Les tableaux de Cézanne sont plus à plat que ceux de Rubens, mais Cézanne avait compris comment contrôler les volumes… Quand on est intéressée par un travail tridimensionnel, c'est Rubens qu'on doit étudier. »

Le séjour en Espagne dure cinq ans. De retour à New York, elle s'inscrit à la Art Students' League, une école centenaire qui a toujours la cote. Après vingt ans de quête, d'étude et d'observation, elle se dit qu'elle peut aller encore plus loin. Au même moment, elle entend parler de Frank O'Cain ; c'est auprès de lui qu'il faut étudier, dit-on, quand on veut vraiment pousser son travail et monter d'un cran. Elle s'est présentée à lui, cartons et tableaux sous le bras. « J'ai eu l'impression qu'il regardait à l'intérieur de moi, qu'il pouvait tout lire et j'étais très mal à l'aise, mais la manière dont il m'a parlé de la peinture, la force qui émanait de lui, tout me disait qu'il était véritablement un artiste, il était exactement le professeur que j'avais toujours cherché. »

Frank O'Cain est un homme sobre, chaleureux, qui ne mâche pas ses mots et qui vit à l'écart du marché de la peinture new-yorkaise. Il répétait qu'il ne fallait laisser aucune place à la médiocrité, ni en soi ni en l'autre, pas de livres médiocres, ni d'idées médiocres. «Tout le monde a besoin de rencontrer des gens comme lui, des gens qui changent le niveau de notre regard, le niveau de notre exigence», dit Cristina. Elle a étudié à ses côtés pendant six années. Frank lui a fait découvrir le propre du langage de la peinture. Il lui a appris à voir, à penser et à parler comme un peintre ; par exemple, à s'attarder aux relations entre les objets, plus qu'aux objets eux-mêmes.

«En peinture, il faut se préoccuper de plusieurs choses en même temps : la couleur, l'échelle, le volume, la tension entre les masses… Mais la première chose que l'on doit considérer, c'est la structure de base, qui consiste à découper l'espace de manière qu'une partie de la toile domine l'autre.»

Sans titre
Huile, 76,2 cm × 101,6 cm, 2000

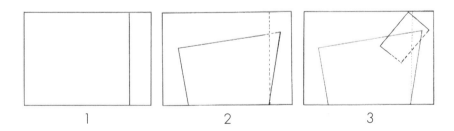

1   2   3

Un rituel qui prépare à peindre ?

Installer plusieurs papiers au mur pour se donner une très grande surface. À l'aide d'un pinceau domestique large, que l'on mouille tout simplement à l'eau, on pratique le geste de peindre. En plus de permettre de se défouler, cet exercice de réchauffement prépare à entrer en relation avec la surface plane de la toile.

Peindre est physique ?

Oui. Plus la toile est grande, plus le corps est impliqué et plus l'espace, entre soi et la toile, est habité. Une petite anecdote intéressante concernant la manière de choisir, par exemple, une grandeur maximale qui peut nous convenir: le peintre De Kooning tendait ses bras afin de déterminer la grandeur de la surface qu'il allait peindre, c'était son espace limite.

Nourriture et sources d'inspiration ?

Ne rien faire, vider mon cerveau. J'observe la nature, les différents rythmes, j'étudie la peinture des autres, je vais dans les musées. Quand je suis de mauvaise humeur, je lis ou je dessine, je ne peins que lorsque je me sens vive et présente.

Le plus facile ?

Laisser la toile m'entraîner.

À quoi sert l'art ?

À donner une forme à tout ce qu'on ne peut pas nommer. Peindre appelle l'authenticité et oblige à évoluer constamment. Quand on peint, il faut tenter de dépasser la description et s'approcher de la poésie…

L'actuel ou le futur de la peinture?

Ces temps-ci, la valeur d'un tableau se mesure peut-être mieux par «l'honnêteté» qui s'en dégage que par l'esthétique représentée. Ce qui a fait la grandeur de certaines époques de la peinture est quelque peu perdu, pour ne pas dire absent. Pour nous attirer, la peinture actuelle s'appuie sur la psychologie ou l'inusité, au lieu de s'attarder aux critères et aux règles visuelles qui font qu'un tableau se tient.

Quelle est la plus grande difficulté de ce métier?

Arriver à naviguer entre différents pôles, le privé et le public. D'un côté, la création avec ses hauts, ses bas, sa solitude, puis de l'autre, les affaires, avec les contrats, les négociations et la préparation des expositions. Ces activités de nature très différente demandent un constant ajustement, il faut faire une transition intérieure qui n'est pas toujours facile. C'est pareil quand on enseigne. On quitte l'intimité de son travail et de son monde et on plonge dans ceux des élèves, où il nous faut expliquer ce que souvent on fait d'instinct ou d'intuition; ceci exige une tout autre manière d'être.

Le paradis?

Quand j'entends «paradis», je pense à Long Island. Quand j'ai besoin de me retrouver profondément, je me rappelle la plage et la beauté de ce lieu.

Notre conversation a glissé vers l'artiste américaine Joan Mitchell, qui a partagé la vie de Jean-Paul Riopelle pendant plus de 20 ans, à qui il a dédié l'éblouissant *Hommage à Rosa Luxembourg*, cette série de grands tableaux gardée au Musée national des beaux-arts du Québec, à Québec. «Joan Mitchell était une véritable artiste, dit Cristina. En plein cœur du pop art, du minimalisme et de tous les courants et modes, elle a peint à partir de sa propre sensibilité en demeurant fidèle à ce que la peinture représentait pour elle. On peut sentir la douleur dans son œuvre et, en même temps, on sent le voile de beauté posé sur cette douleur.»

Quelques leçons de Frank

1. Un peintre passe le plus clair de son temps à observer; peindre, c'est 90 % d'observation et 10 % d'expression.

2. Pour dynamiser un tableau, allégez certains secteurs; ces espaces libérés lui procureront force et énergie.

3. Trop d'émotion mène à la répétition. Trop d'intellectualisation mène à la rigidité. La peinture est le mariage de l'émotion et de l'intellect pour finalement aboutir à l'intuition.

4. Explorez de nouvelles avenues au lieu de raffiner celles que vous connaissez déjà.

5. Quand vous arrivez à trouver comment un secteur du tableau va en dominer un autre, vous touchez le début de votre originalité.

«Il faut sentir la respiration du peintre dans un tableau», disait-il.

«Je vais toujours ainsi du poème au dessin, à la peinture ; du mot à la ligne, à la couleur, pour dire et pour voir et pour donner à voir. Je peins pour parler comme j'écris pour voir. »

Roland Giguère, Forêt vierge folle

Allons voir les comédiens, les musiciens, les magiciens qui arrivent...

Isabelle
Poser des gestes libres

Elle joue au théâtre, au cinéma, à la télé, à l'impro ; elle écrit, cuisine, voyage ; elle adore la nature sauvage, les projets avec les amis et trouve le temps de bricoler, de peindre et de pratiquer le yoga.

«La peinture est un des rares moments où j'exprime quelque chose sans être obligée de plaire, où je n'ai pas peur de faire de fautes et où je ne suis pas à la merci du jugement des autres. Je le fais pour moi, sans rien attendre. »

Ainsi, d'instinct, elle transpose à l'eau ou à l'acrylique, selon l'humeur, ce qui l'habite, ce à quoi elle aspire. «Ça sort tout seul. C'est un moyen extraordinaire pour éviter de se perdre dans les multiples dédales du mental. Au lieu de nommer, je dessine mon émotion, mon souci et parfois mes rêves aussi, ceux du jour comme ceux de la nuit. Les images viennent enrichir la réflexion en invitant dans la ronde la part de soi qui est très sensible et proche du symbolisme. » Peindre lui permet de faire le vide, d'apaiser la tempête qui gronde dans la poitrine, de déprogrammer les soucis, de se mettre en état de veille. Le petit univers inusité qui peut apparaître sur une toile renouvelle sa vision ; on ressort généralement d'un tableau différemment qu'on y est entré ! « Créer me rend très heureuse, j'y retrouve un plaisir semblable à celui de l'enfance, où on est si content de décorer la maison pour une fête, où on est folle de joie à l'idée de se déguiser pour l'Halloween. L'art appelle des rituels qui nous sortent de la vie ordinaire ; avec les enfants, les activités artistiques valent leur pesant d'or. Dans mon groupe d'amies, nous avons eu des enfants les unes après les autres. Comme nous étions forcées par moments d'être sédentaires, nous avons intégré des activités créatives à nos vies. Au début, on s'y adonnait quand les enfants dormaient ; au fur et à mesure que les enfants ont grandi, nous avons adapté les activités de bricolage et préparé des projets avec eux. Souvent, on fait des sorties reliées à des projets créatifs. Par exemple, avec mon amie Salomé, ainsi que Lula et Léo, nous partons à la recherche de bijoux et de breloques dans les marchés aux puces. De retour à la maison, les trouvailles sont démembrées et remembrées pour devenir des bijoux branchés, des décorations, des baguettes magiques ou des bâtons de sorciers ! Tous nos amis, même ceux qui n'ont pas d'enfants, participent à nos projets. Depuis des années maintenant, aux anniversaires et au temps des fêtes, nous offrons des cadeaux bricolés, et souvent très élaborés, car nous rivalisons pour nous impressionner les uns les autres. C'est tellement formidable d'intégrer l'art à sa vie, sous toutes les formes possibles. »

« À Bali, ajoute-elle, les yeux rêveurs, dans les petites boutiques, quand les affaires sont tranquilles, les femmes fabriquent des paniers avec des feuilles de bananier ou de bambou. Elles y placent ensuite des fleurs et des fruits qu'elles vont déposer au pied d'une divinité pour lui rendre hommage et obtenir sa protection. Leurs mains vont et viennent sans cesse. Elles sont présentes, méditatives, occupées, naturellement reliées et en harmonie avec leur monde. C'est tellement beau de les voir faire. Leur art est une manière d'être là, une manière de vivre. Dans ces cultures, l'art et la vie ne sont pas séparés. »

***

Quelle différence y a-t-il entre le jeu à la télé, au théâtre, au cinéma?

Au théâtre ou au cinéma, on porte souvent la réflexion d'un auteur, réflexion qui parfois s'est développée sur des mois ou des années. En tant qu'actrice, quand on devient porteur de la réflexion d'un auteur, l'investissement n'est pas le même. L'intensité de la présence et l'intégrité du jeu ne changent pas, mais l'exigence intérieure n'est pas la même. Au théâtre, on vit l'esprit d'une troupe, on *performe* en face d'un public, donc on participe à un moment vivant – on crée quelque chose chez le spectateur. Si je pense à notre série *États humains*, par exemple, tous les membres de l'équipe sont d'accord pour dire qu'ils se sont sentis comme des artisans. Chaque petite idée fut forgée, tout fut réfléchi, nous avions l'impression de faire un bijou, notre investissement a été entier. J'aime m'impliquer entièrement, j'aime, par exemple, participer à l'élaboration de mon costume, de mon maquillage, ainsi je pose une pierre à l'édifice entier, je façonne… C'est le mot juste, il s'agit de façonner. J'aime façonner, que ce soit avec ma voix, mon corps, ma présence, mon imagination.

Comment est venu ce métier?

Il s'est imposé! Quand j'étais enfant, au primaire, j'avais un plaisir réel à monter des petits spectacles, j'avais toujours envie de recommencer. Il me fallait faire partie de ce qui s'organisait autour de moi. J'ai eu la chance de jouer année après année jusqu'au secondaire; la voie était tracée, je n'ai jamais arrêté. J'ai ensuite étudié le théâtre à l'université et je n'ai jamais eu envie de faire autre chose. Toutes mes pensées sont constamment tournées vers l'art, la mise en scène. Il m'arrive souvent d'observer la vie comme si c'était de la fiction. Je regarde les lieux comme s'ils étaient des décors. J'aime aussi énormément la photographie et je suis attirée par l'écriture, mais l'écriture a un côté douloureux, déchirant.

Quelle satisfaction première retires-tu de ton métier?

Mon métier me permet de m'approfondir, de me raffiner sans cesse. En pratiquant ce métier, j'ai besoin d'y être en entier, de participer totalement, de repousser les limites... Ma satisfaction vient de mon investissement.

Les créateurs ont-ils une énergie en plus?

Une pulsion supplémentaire peut-être, celle de chercher, d'inventer, c'est une passion effrénée...

Le plus difficile?

De vivre avec le doute. Le doute face à son talent et face à la valeur de ce que l'on crée. Le constant besoin de l'assentiment des autres pour être contente. En tant que comédienne, il faut sans relâche être intéressante ...

Le plus facile?

La fin d'un show! La fin d'une émission! Recevoir des bravos, entendre «Ah! Que c'était le *fun*!» Le plus facile, c'est la fin.

Comment nourris-tu ta création?

Je m'imprègne du texte, j'analyse, j'aime découvrir la cohérence des choses, la sémantique, la psychologie. Il m'arrive de dessiner le personnage que j'ai à jouer pour encore mieux le voir et le ressentir. J'observe les gens, dans l'autobus ou dans le métro... Je regarde les gens regarder les gens. Je me nourris de l'étonnement des autres. J'aime étonner quand je joue. Si j'étonne, c'est qu'il y a un filon, une piste à explorer.

Le voyage?

Quitter la maison, laisser les choses derrière. Rouler pour prendre une distance avec ma vie me donne le sentiment de retrouver le monde… de visiter ce monde qui est à l'extérieur de moi… Les déplacements, même de courte durée, me procurent une forme de liberté nécessaire à mon ressourcement. J'apporte toujours mon carnet de voyage dans lequel je prends des notes et fais des dessins à l'aquarelle. Dans les dernières années, le dessin a pris plus de place que la photo pour conserver des souvenirs de voyages.

Trucs et rituels qui te préparent à jouer?

Une grande partie de ma concentration opère lorsque je me maquille et que je revêts mon costume. Je me mets alors à me comporter comme le personnage le fera. Je prépare la machine!

Nourriture et inspiration?

Je me nourris du travail d'autres artistes, tant des comédiens que des peintres ou des musiciens. C'est extrêmement inspirant de s'attarder à la création. Je m'inspire aussi en voyageant au hasard, quand, tout à coup, je suis sans les repères habituels, libre de tout, je retrouve intérieurement une source d'inspiration nouvelle. Dans ces petits voyages, j'aime bien fabriquer un nid temporaire et vivre d'une nouvelle manière. J'aime énormément la nature, les rivières, la forêt; elles font partie de mon bonheur de vivre. Je fais occasionnellement du camping sauvage, c'est tellement régénérateur.

En création, le plus important?

Être heureux quand on travaille. Goûter chaque instant, y être entièrement. S'abandonner, s'oublier. Se connecter à sa parole réelle, à son bouillonnement intérieur. Être intègre. Faire passer l'intime de soi.

La création sert à quoi?

À être en relation avec le monde, les autres, la vie. À conserver vivants notre désir, notre frémissement et notre quête. Si les désirs que nous avons ne concernent que la gloire et le pouvoir, on les dira de nature vaine, en ce sens qu'ils obligent à une course sans fin. La création engendre un bien-être, le sentiment intime d'être vivante et reliée; c'est de ce bonheur dont il est question en création.

C'est vrai que l'on écrit et que l'on crée parce qu'on a perdu le paradis?

Je ne pense pas que nous ayons perdu le paradis, je crois que cette histoire est plutôt symbolique. Je ne crée pas par mélancolie ou par manque; créer pour moi est une manière de vivre. Par contre, je ressens une mélancolie qui peut se rapprocher de celle du paradis perdu. Je suis déçue de constater combien il est difficile de dépasser certains besoins d'appropriation et de domination; j'aurais aimé qu'on fasse un grand pas, qu'on ressente du respect. En une vie, certains auront posé des pierres, avancé un peu, d'autres pas du tout. Tout le monde en souffre. J'aurais aimé qu'on vive dans une société plus équilibrée, plus honnête et plus évoluée.

L'art peut-il servir à évoluer?

Oui. En créant de la beauté, en créant des moments de vie où on évolue soi-même et on peut aider les autres à évoluer parce qu'on les aura, par exemple, inspirés. L'art peut donner des matériaux qui aident à vivre et à avancer.

***

Enfant, elle dansait sur *Pierre et le loup*. D'aussi loin que je me souvienne, elle a voulu être comédienne. En la voyant entrer en scène lors d'un spectacle de fin d'année à l'école secondaire

Antoine-Brossard, je me suis dit: «Je devrai l'encourager, je ne pourrai pas faire autrement!» Elle est entrée triomphante, aspirant la lumière d'un coup. À l'avant-scène, solide et engagée, elle a ouvert les bras; j'ai failli m'écrouler. Elle jouait Laura, dans la pièce *Marche, Laura Secord*; dans la vraie vie non plus, elle n'abandonne jamais la partie.

« Le mot clé de l'imagination n'est pas "liberté" mais "fécondité" ; son but n'est pas seulement l'exploration mais la croissance. »

James Hillman, La beauté de Psyché

Geneviève
Toucher au bonheur

Elle joue au théâtre, au cinéma, à la télé, danse le baladi et le flamenco, aime le volley-ball et le yoga, et écrit des chansons.

Adolescente, elle a saisi très vite que jouer lui procurait bien-être et bonheur. Elle accumule les cours : ballet, patinage artistique, danse, théâtre et, plus tard, le chant. La création est tout simplement une continuité des jeux de l'enfance et de l'adolescence, nécessaire à sa santé. « Quand je joue au théâtre ou à la télévision, j'ai le plaisir *d'être avec*… Quand j'écris, je suis seule. C'est ma manière de donner une forme concrète à mes pensées et à ce que je ressens. Vivre, c'est créer, on n'est pas obligé d'en faire un métier. Je pense à ma mère, par exemple, qui passe de longues heures dans son jardin, elle est en pleine création ; c'est aussi vital pour elle qu'écrire, chanter ou jouer l'est pour moi. »

***

La différence et la similitude entre jouer et chanter ?

Dans les deux cas, c'est une question d'écoute. Comme comédienne, une fois mon travail d'analyse avancé, je récite mon texte à voix basse et j'écoute les mots résonner en moi. C'est fou ce que le corps réagit aux mots et à leur résonance ! Y a pas que la tête qui comprend ! Ensuite, en répétition, j'écoute mon partenaire et je saisis encore de nouvelles choses… mais arriver à une qualité d'écoute n'est pas toujours facile. Quand je chante, évidemment, j'écoute, mais pas seulement la musique; les mots d'une chanson sont un point d'ancrage important pour rester présente.

***

Dans le jeu, quel est le plus important ?

La qualité de l'aller-retour. Écouter, rebondir, être vraiment avec l'autre procure le plaisir nécessaire à la performance. Comme dans la vie, quoi !

Dans l'écriture d'une chanson ?

Arriver à entendre ce qui monte en soi et y faire confiance. C'est l'oreille interne.

Dans l'écriture de la musique ?

Je ne joue d'aucun instrument. Je compose donc en chantant. Depuis quelques années, je travaille avec un guitariste à qui je chante mes mélodies. Ensuite, il me fait entendre les accords qui pourraient les soutenir. On fait des essais, on corrige et ça finit par ressembler à ce que j'entends dans ma tête. D'autres fois, il me propose une musique sans mélodie et on fait l'aller-retour entre ses accords et la mélodie que j'invente, les deux influençant le développement de l'autre continuellement. Ce travail d'équipe est fabuleux, c'est tellement bon d'être deux à plonger pour créer une musique. Quand je sors d'une de nos séances de travail, j'ai l'impression de sortir de la fontaine de Jouvence !

D'où provient la pulsion de créer ?

De cet espace intérieur difficile à nommer ! C'est quoi, l'intérieur ? L'âme, le cœur, l'esprit ? Je ne sais pas… mais c'est dans cet espace que je me place, je ne le questionne pas, j'en profite.

Le plus difficile?

Le début et la fin! D'abord, s'y mettre. Une fois entamée, l'écriture d'un texte se déroule avec beaucoup de plaisir. Ensuite, plus j'avance, plus je dois en juger, donc plus il me faut «monter» dans ma tête. Le plus difficile, c'est peut-être d'arriver à ce que le jugement ne nuise pas à l'instinct, à l'intelligence du cœur et à l'imaginaire. Au début d'un texte, tous les choix sont possibles; mais plus j'avance, plus les choix sont restreints car il me faut demeurer conséquente avec ceux que j'ai faits plus tôt. La création est un constant exercice de persévérance, de patience et de confiance.

Le plus facile?

Remettre à demain! Jeter les idées en vrac, laisser couler, se laisser inspirer. L'inspiration se trouve partout: dans les films, les livres, les disques, dans le travail des autres. Dans le partage. Je rassemble des hasards, recoupe les informations, je peux trouver des réponses et des pistes partout quand je suis plongée en création, pour autant que je ressente le besoin de nommer quelque chose, de le fouiller, de l'approfondir. Ensuite, il faut simplement que je sois attentive.

Lieux et rituels?

Mon lieu, c'est mon humanité. C'est sentir ma parenté avec l'autre tant dans la détresse que dans la joie. Je regarde les autres vivre, je me regarde vivre. J'essaie de comprendre et de traduire cette expérience quand j'écris ou quand je joue. J'ai aussi besoin de solitude. Chez moi, j'ai aménagé une petite pièce pour écrire. Il n'y a pas de téléphone, seulement des dictionnaires, des papiers et des crayons. Quand j'ai écrit mon album, je me suis fait un horaire; pendant trois semaines, j'ai écrit de 10 h à midi, c'était mon rendez-vous quotidien. Plusieurs mois plus tard, pour plonger davantage, j'ai loué un chalet dans le bois. On a tellement l'habitude de répondre à des stimuli, des commandes ou des directives, que quand on se retrouve seule, sans obligation, on est forcée de questionner ce que l'on veut vraiment… on s'apprend, on se connecte.

Le voyage est-il une source d'inspiration ?

Il la nourrit certainement. Que l'on voyage pour faire le plein ou pour faire le vide, il en reste toujours quelque chose qui influencera la création… dans deux jours ou dans deux ans !

La création nous mène-t-elle ailleurs ?

Oui, hors de l'intellect, hors des sentiers qu'on aurait pu choisir arbitrairement. On apprend constamment en créant. On prend la vie à bras le corps et l'on sent qu'on y participe !

Et le paradis ?

C'est ce lieu en soi où l'on flotte, où l'on plane, où l'on vibre… C'est l'instant où je trouve ce que je cherche en travaillant. En fait, la vie c'est un peu comme une chasse au trésor : le trésor est quelque part en nous et le plongeon de la création nous conduit aux indices qui nous en rapprochent un peu plus… L'état de grâce, c'est un état de jeu ! Quand j'oublie ça, ça peut devenir l'enfer !

À quoi ça sert de créer ?

À rester en contact avec cet invisible qui nous habite, impalpable mais si vrai !

«Mais d'où prenons-nous notre impératif? Ce n'est pas un «tu dois», mais le «il faut que je» de l'hyper-puissant – créateur. »

Nietzsche, L'ivresse de l'art,
Nietzsche et l'esthétique *de Paul Audi*

Philippe
Cavalier des temps modernes

Il joue, adapte, met en scène, laisse une place à la révolte quand il écrit; aime et voyage au loin le plus souvent possible.

Peu à peu, de petits projets à des projets plus importants, la création s'est installée au quotidien. Il n'a pas attendu non plus qu'on vienne le chercher.

«Je crois que c'est en faisant nos propres projets qu'on ne devient pas fou. Il n'est de pire cachot que celui de l'artiste qui attend. Chaque mot que je mets sur papier, chaque photo que je prends, chaque spectacle que je joue me guérit du cancer et brise l'idée même de la vie micro-ondes. La vie moderne, avec ses limites propres, ses obligations qui obligent justement, endort, durcit et dévore tout le temps qu'on a. La vie n'est pas un *screensaver*, il ne faut pas s'identifier avec les outils. Il faut développer une vision du monde plus propre à soi, s'éloigner de tout ce qu'on a appris et trouver par soi-même.

«Tout me sert à chaque instant. Chaque rencontre, chaque lieu. Il faut creuser le monde, descendre en soi tel un scaphandre. Il faut nourrir son besoin de changer le monde, pour que le scaphandre justement ne rouille pas. »

***

Les artistes ont-ils une énergie en plus ?

Je crois que les artistes sont en contact avec certains aspects de leur personnalité, de leur noirceur, entre autres, et que ceci leur donne une compréhension approfondie d'eux-mêmes. De plus, la nature de nos activités nous pousse à réfléchir sur ce qui nous entoure et sur ce qu'est l'homme, ce temps de réflexion nous amène ailleurs, nous implique davantage.

Le plus difficile en création ?

L'insécurité financière et le doute.

Le plus facile ?

Le bonheur de créer.

D'où provient l'inspiration ?

De partout. Journaux, voyages, discussions, rencontres, musées, musiques…

Que procure le voyage ?

Le voyage est une rencontre avec soi et avec l'inconnu ; c'est là que se cachent l'inspiration et l'art, en cette descente en l'homme. Le voyage permet la rencontre de l'être humain et la mise au point de l'artiste.

La création donne-t-elle un sens supplémentaire à la vie ?

Oui et non. Elle donne une perspective, un désir de vivre ; en même temps, la création ramène à l'éphémère et à la futilité de la vie.

Les lieux et les moments où l'inspiration est à son meilleur?

La route. C'est là où ma création est la plus éveillée. Sur la route, dans les hôtels *cheaps*, dans les gares, sur les trottoirs qui ne mènent nulle part ailleurs qu'en soi.

L'art, c'est?

Un ring. Et l'important, c'est de ne pas rester en place. C'est de toujours danser.

Le paradis?

Créer, non pas pour retrouver le paradis, mais pour en inventer un.

À quoi ça sert de créer?

À nous garder vivant pendant qu'on hésite toujours entre le désir d'être inutile, la futilité du château de sable qu'est l'humanité et l'immensité de l'Univers. Entre l'envie de changer le monde et celle de s'endormir sur un sein doux.

« Pour une année fertile : travailler sous le soleil, en forêt vierge, et oublier là ses travaux durant plusieurs saisons. »

Roland Giguère, Forêt vierge folle

Éliane
À mains nues

« Une double inspiration anime mon travail : d'un côté, l'attrait pour la représentation du corps féminin, thème classique de l'histoire de l'art que je cherche à revisiter et que j'aborde de manière intimiste ; de l'autre, un intérêt pour la photographie, son histoire, ses techniques et l'imaginaire propre qui en découle. C'est au croisement de ces deux axes que mon travail prend forme.

« Le corps féminin a toujours été omniprésent dans les magazines et dans les médias. Depuis quelques années, le traitement visuel se fait de plus en plus cru, le corps est objet ; nous avons perdu la substance et l'âme, il ne reste que l'enveloppe. Ce que je fais en photographie est aux antipodes de ce monde. Je cherche à rendre présent l'univers intérieur qui habite la femme, sa sensualité naturelle, son érotisme, sa beauté. Tout ceci doit passer dans un nu. »

Éliane a grandi à la campagne, où ses grands-parents avaient une ferme. Enfant, attentive déjà, elle passe de longues heures à dessiner les chevaux et rêve de devenir vétérinaire pour les soigner. À l'adolescence, alors que son rêve subsiste, elle se rend compte qu'elle déteste les sciences et les mathématiques, matières nécessaires pour les études en médecine. Après quelques hésitations et une visite déterminante chez l'orienteur, elle s'inscrit en arts plastiques au cégep.

Deux années plus tard, à l'université, quand commencent les cours d'histoire de l'art, de dessin, de peinture et de sculpture, Éliane se dit que la photo peut attendre. D'une session à l'autre, elle repousse son inscription, elle n'ose pas aborder cet art révélateur du réel. Quand elle se décide enfin, c'est le coup de foudre! La photographie lui permet mieux que la peinture d'exprimer ce qu'elle ressent, de montrer justement l'intimité et l'univers intérieur.

À l'université, elle a la chance d'étudier auprès du peintre Peter Krausz. Il apprécie ses travaux tant en dessin qu'en photo et l'encourage à exposer; il la rassure, insiste. À la fin de son bac, Éliane présente un petit corpus à la galerie de l'université, intitulé *Rituels*. «Ça passe ou ça casse, se dit-elle, si mon travail n'est pas bien reçu, si je fais rire de moi, c'est fini, j'abandonne et je me recycle!» L'exposition fut très bien reçue et même remarquée. Pour continuer, il lui fallait maintenant apprendre à gérer l'angoisse et le stress inhérents à la préparation des expositions; c'est encore impossible!

Pour enrichir ses connaissances, elle s'inscrit à un atelier de photographie à l'Université Concordia qui comporte un volet d'initiation à la technique de la *camera obscura* ou sténopé, qui veut dire «petit trou». Cette technique à l'ancienne est fascinante et permet justement de travailler à partir de l'*intérieur.*

Camera obscura est le terme latin pour chambre obscure ou chambre noire; d'ailleurs, en Italie, quand on demande une chambre, on dit *camera*. La technique se passe d'appareil photo! En chambre noire, sur la paroi du fond d'une boîte étanche en parfaite condition, on fixe un papier photo sensible ou un négatif à l'aide d'un bout de ruban gommé, puis on referme le couvercle. Boîte de chocolats, boîte à bijoux, boîte de transport, c'est selon! Ensuite, à l'aide d'une aiguille, on pratique une minuscule perforation dans le couvercle qui est recouverte d'un clapet facilement détachable; pendant l'installation, il empêchera la lumière d'entrer.

Le sujet prend la pose désirée, qui aura été testée au préalable, sous un éclairage de quatre projecteurs qui fournit quelque 2 000 watts de lumière! La boîte à photographier est placée sur une table. Le petit clapet protecteur est retiré, le sujet demeure immobile pendant quatre ou cinq minutes, le temps nécessaire pour que la lumière qui l'éclaire, s'infiltre par le petit trou et reproduise la forme sur le papier… au fond de la boîte. Il ne reste plus qu'à développer l'image négative.

«On attend, la lumière travaille, c'est très prenant. J'aime le hasard de cette technique, son imprécision; l'accident de création revêt un caractère mystérieux, né de la noirceur et du silence.» Comme dans une chrysalide.

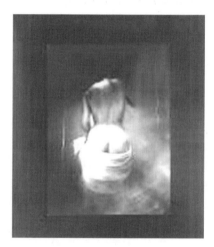

obscures V   *obscures X*

Photographies tirées de la série *obscures*, 2004
Format original 36 cm × 28 cm

«Cette technique sert parfaitement ma démarche. Elle me procure une lumière blanche, simple et pure. Il y a des fois où je n'arrive à rien, et d'autres fois, l'image ressemble à une révélation. Entre ce que je vois et ce qui apparaît finalement, il y a une importante part d'incontrôlable.»

Éliane poursuit cette recherche passionnée depuis 1997. Bonheur de vivre, sensibilité. Érotisme fondamental.

***

L'ombre ou la lumière?

Le mot «photographie» est composé des éléments du grec; *photo* veut dire lumière et *graphie*, écriture, donc écriture de la lumière. La photographie n'est pas une histoire d'ombre, c'est d'abord une histoire de lumière.

Les sources de l'inspiration?

Quand je travaille, j'ai parfois des œuvres en tête, des tableaux, des sculptures ou des photographies, surtout de la période de la fin du XIXe siècle. J'aime cette période symboliste qui représentait la femme de plusieurs façons, parfois diabolique, et aussi romantique. J'étudie cette esthétique, cette manière ancienne de montrer ou d'évoquer la beauté et la grâce de la femme.

Le plus facile dans ton métier?

Attendre que la lumière s'imprime sur le papier!

Le plus difficile?

Persévérer. Durer. Et ce n'est pas une question de foi, car la foi il faut l'avoir, il faut bien croire en quelque chose. C'est plutôt qu'il ne faut pas se laisser envahir par les doutes et les insécurités financières. Les deux empêchent de créer et gâchent tout certains jours. En plus, les créateurs sont déjà très confrontés, car ils travaillent à des projets qui, un jour, finissent, ils doivent sans cesse recommencer, repartir ailleurs. Nous sommes donc toujours en train de nous remettre en question.

Les voyages ?

Les voyages sont très importants. Je suis comme une éponge, je m'abreuve à tout ce que je vois. En voyage, on est aussi libéré des préoccupations quotidiennes, on est sans tracas, sans soucis, rien n'encombre l'esprit, c'est parfait pour nourrir sa création. C'est la meilleure manière pour apprendre. On se nourrit davantage, on s'imprègne physiquement. Les voyages procurent une expérience physique des choses, des images et des formes.

Les créateurs ont une énergie en plus ?

Pas une énergie supplémentaire, mais une énergie canalisée, donc plus intense.

D'autres intérêts ?

Le vélo, la natation... J'aime sentir mon corps, j'aime bouger. C'est très important pour moi, vital même. Le temps qu'elles durent, ces activités me font oublier toutes mes préoccupations.

À quoi sert la création ?

À se donner du bonheur et à donner du bonheur aux autres. À travers les exigences et les difficultés, mon métier me donne aussi beaucoup de liberté. Je vis des moments intenses, je fais des rencontres enrichissantes et j'ai la chance de voyager. Quand j'arrive à passer à travers *l'acte de création*, que j'arrive à quelque chose que j'aime, je suis très heureuse et j'ai le sentiment d'avoir transcendé la vie ordinaire.

Est-ce que l'on crée parce que l'on a perdu le paradis ?

D'une certaine manière peut-être. Finalement, le sens de la vie n'est pas trop clair. Quand on y pense, on peut facilement se demander ce qu'on fait là ! Créer comble certainement un vide et donne un sens, momentané peut-être, mais quand même, ça donne une raison d'être là. On crée notre paradis. Chacun crée le sien.

«Au dehors, prendre modèle sur la Création ;
À l'intérieur, suivre la source de l'Âme.»

Chang Tsao, des T'ang
(Tiré du livre de François Cheng,
Vide et plein, le langage pictural chinois)

Marie-Noël
La qualité de présence

L'acte de création

Elle joue au théâtre, à la télé, dans des films d'auteurs, se transforme à l'occasion en clown, enseigne et vit dans le dépouillement. Non. Dans le jaillissement !

Quand on entre chez elle, on a envie de danser, de courir, de se rouler par terre. Le mur gigantesque vers lequel on se tourne pour travailler est recouvert d'un vieux rideau de scène marron ; doublé, volontairement perforé, il a l'air d'arriver du temps de Molière. Dans cet espace exceptionnel, version artistique d'une salle de jeux, elle donne des cours de yoga, des ateliers de jeu et d'improvisation pour comédiens et des ateliers de préparation au jeu clownesque.

Quand elle était enfant, elle s'élançait d'un bout à l'autre de la maison, en faisant de grands gestes théâtraux. Parfois, elle grimpait sur la table de la salle à manger ou s'assoyait sur le réfrigérateur pour donner un peu plus de pompe à son discours. Ces jours-là, elle avait droit à quelques répliques paternelles du genre : «Il me semble qu'une jolie jeune fille ne doit pas… Ce n'est pas digne d'une jolie jeune fille…» Les parents étaient bousculés, mais intérieurement, ils étaient assez contents de constater l'exceptionnelle conviction et l'énergie de leur fille.

« Quand on est reçue, dit-elle, on apprend à son tour à recevoir l'autre. Nous ne sommes presque jamais *réellement* à l'écoute de l'autre, nous n'attendons souvent qu'un court silence pour plonger dans notre réplique, puis, nous écoutons avec notre tête, en jugeant des propos à l'avance. On peut écouter avec plus d'ouverture, avec tous nos sens, avec notre peau même, nos instincts et notre intuition. »

L'imagination

Marie-Noël reçoit occasionnellement des groupes de personnes qui n'ont jamais fait de théâtre. « Souvent, les gens qui œuvrent à l'extérieur des métiers artistiques croient qu'ils n'ont aucune imagination. En faisant certains exercices, ils se rendent d'abord compte qu'ils ont un imaginaire, qu'ils peuvent y accéder, et qu'il y a autre chose en eux que la pensée, l'analyse ou la réflexion. Ils deviennent émus, vibrants et ils s'amusent vraiment. En une heure, ils passent par une gamme d'émotions plus large que d'ordinaire, ils ressentent de la joie, de la peur, de l'étonnement. Ils travaillent sans compétition et sans souci de performance. Ils travaillent à ressentir, à être présents, à exprimer et ils découvrent une manière nouvelle d'être avec les autres. En improvisation, par exemple, certains exercices visent à faire prendre conscience de différentes attitudes. Sommes-nous imposants ? Prenons-nous toute la place ? Pouvons-nous y être en nous mêlant à l'ambiance, à ce qui se passe de manière non visible, par exemple ? Sommes-nous en harmonie avec l'esprit du lieu, l'esprit du moment ? »

Un jour, avec un groupe qui voulait s'initier à l'improvisation, elle s'est mise à chercher un exercice simple qui leur permettrait d'improviser sans paniquer. « J'ai fait le silence en moi, c'est toujours ainsi que je procède, je me concentre sur ce que je désire accomplir, sur l'objectif de l'exercice et j'attends qu'une idée ou une image apparaisse. Quand je la tiens, j'en fais l'essai avec les élèves d'abord, j'expérimente avant de juger. Je fais confiance à ce qui monte en moi, j'ai appris à me fier à moi-même, ensuite seulement je réfléchis, analyse et structure. Ce jour-là, j'ai tout de suite vu un musée. Alors, j'ai bâti l'exercice de cette façon : on se voit circuler dans un musée en projetant des images de tableaux sur les murs et, en se promenant tranquillement, on s'arrête devant les tableaux qu'on a soi-même inventés. Certains sont si abasourdis par ce qu'ils imaginent, qu'ils doivent s'arrêter un instant pour réfléchir… Ceux-là même qui croyaient n'avoir aucune imagination ! »

Sortir du vide

Cet exercice demande aussi qu'on circule librement dans l'espace en mettant l'attention à l'intérieur de soi-même, en se concentrant sur ce que l'on ressent, sur les mouvements du corps par exemple. Ensuite, on circule en se concentrant sur ce qu'il y a autour, en le nommant intérieurement. Ceci aide à rester dans l'instant et à comprendre où on se trouve : en soi ou à l'extérieur de soi ? Il s'agit d'arriver à ce que notre regard sorte du vide ! « Regarder dans le vide » veut dire que l'on n'est nulle part, ni dedans ni dehors, sans conscience de ce qui se passe autour. Pour améliorer la qualité de notre présence, nous devons savoir où se situe notre attention. Cette simple question nous ramène à nous-mêmes et nous redevenons présents. « L'attention pure et la concentration sont à la base même de la création. »

Elle a eu l'opportunité de travailler avec des groupes de jeunes en réinsertion sociale ; ils ont été ébahis par cet exercice. Ils ont circulé en fixant leur attention tantôt à l'intérieur, tantôt à l'extérieur d'eux-mêmes ; cet aller-retour leur a semblé une découverte extraordinaire. « Plus on s'exerce à être dans notre corps et plus le charisme et l'énergie grandissent. »

Faire circuler notre attention

Ceci peut se faire n'importe où et à tout moment. Par exemple, on se concentre sur une partie de notre corps : genoux, pieds, hanches, bras… ou à l'intérieur de notre corps en s'attardant à notre respiration, notre état d'âme ou une pensée. « En se concentrant ainsi, en identifiant et en nommant ce que l'on ressent, on aide la circulation de notre énergie à tous les niveaux, on habite mieux notre royaume physique. Les meilleurs remèdes au sentiment de vide, aux chagrins et à la dépression sont pour moi l'attention accrue et l'expansion de la conscience. »

La force de la respiration

Si on respire en aspirant l'air, on soulève automatiquement les épaules et on crée une pression sur le thorax ; cette pression renvoie à une sensation d'angoisse. Il faut respirer en gonflant volontairement le ventre ; l'action dégage les poumons, ouvre le diaphragme et procure une sensation opposée, on ressent de l'apaisement.

« Nous n'avons qu'à nous demander : est-ce que je suis en train de respirer ? Avec cette question, on prend immédiatement conscience de sa respiration et on peut la rétablir. Lorsqu'on fournit un effort supplémentaire, par exemple déplacer un meuble lourd, on a parfois le réflexe d'arrêter de respirer pour se concentrer. C'est tout le contraire qu'il faut faire. » Il faut justement se servir de la force de sa respiration. C'est tout aussi vrai dans les moments d'angoisse que de plaisir. Continuer à respirer lentement est le secret. Demeurer dans la respiration.

Le yoga

Discipline, entraînement, voie ancienne dont les bénéfices sont nombreux. Le yoga exerce la concentration en plus d'assouplir et de renforcer. Les positions et les postures obligent à certains mouvements et sollicitent des parties de notre corps qui le sont rarement. La simple correction de la posture du corps permet d'être mieux dans notre peau. « En pratiquant le yoga, les femmes et les hommes rendent souvent compte d'une nouvelle patience, certains ont plus de recul en situation de crise familiale, par exemple, car ils ont plus d'écoute. L'impatience est une sortie du corps, une non-présence à ce qui est là, en train d'advenir et qui requiert qu'on y soit ! L'ensemble de la pratique procure un effet bénéfique sur le système nerveux et sur l'état de conscience ; le yoga est médecine. »

Marie-Noël concentre son enseignement sur les postures et la respiration et transmet la philosophie de la pratique par petites touches. Ainsi, chacune, chacun, se familiarise avec l'aspect spirituel selon son intérêt et son rythme personnel.

Méditer et trouver son centre témoin

« Qu'est-ce que méditer ? Où se situe le calme en moi ? Où est cet espace qui rassemble ce que je suis, qui saisit mes pensées, sent mes émotions et mon corps ? On peut faire appel à cet espace chaque fois qu'on en a besoin. Une fois qu'on l'a senti, qu'on s'est familiarisé avec cet état, on peut le retrouver au quotidien seulement en y pensant. C'est un refuge immédiat dans les situations de conflit, de stress et de perte de contrôle. Cette manière toute simple d'être en contact avec soi peut se développer à l'infini. On peut commencer par marcher en prenant le temps de bien sentir la plante de ses pieds… On finit par sentir qu'on est là. Nous pouvons et devons aller jusqu'à sentir notre âme vivante, notre place sur la terre… jusqu'à entendre cette voix qui circule en nous. »

***

D'où provient la pulsion de la création ?

De toutes les parties de soi, son corps, sa conscience. Du non-dit, de l'incréé. C'est en soi. Ça peut aussi nous traverser, nous être offert… arriver à l'improviste ! Souvent, je rêve à quelque chose et le lendemain je croise une personne ou une situation qui prolonge mon rêve. Il me vient aussi des réponses ou des idées en songe.

Que procurent les voyages ?

Une formidable ouverture à soi et au monde. J'ai beaucoup voyagé. J'ai rencontré pas mal de gens. Je me rendais à l'école de danse du coin et me liais d'amitié. J'ai cherché ce que les danses ancestrales pouvaient dévoiler de l'essence de l'être et de l'essence de la vie. Un jour, j'étais en Inde, à l'autre bout du monde, j'avais 21 ans, je sentais mon cœur battre et dans un éclair, j'ai saisi ce que voulaient dire ces mots éternellement repris : l'essentiel est en soi, dans l'instant.

Ma quête fut double, car j'ai aussi cherché, depuis l'adolescence, à travers les livres entre autres, des témoignages de femmes qui avaient pris leur bâton de pèlerine et s'en étaient allées à la recherche de l'essence de la vie. La connaissance ou les directives sur la manière de vivre, ou sur ce qui est important, étaient, et sont toujours, une affaire d'hommes. Ceci m'a toujours paru insuffisant. À mes yeux, leurs propos ou visions sont souvent débranchés, déconnectés de la vie et de ses nécessités. Par exemple, la philosophie se targue ne de pas intégrer les sensations, les sentiments et l'intuition ; sans ces éléments, la pensée est dissociée, incomplète, elle n'est que spéculation de l'intellect. On doit pouvoir témoigner de ce que l'on expérimente et ressent et relier le tout à une intuition du monde. Ma quête est toujours la même et je suis bien consciente que cette quête profonde demeure en marge de la conduite du monde, c'est bien dommage.

Le métier d'actrice?

Jouer est ma plus grande joie. Quel que soit le personnage, je l'aborde à partir du cœur, sans jugement de valeur, pour lui donner la chance de vivre et d'exprimer son humanité.

La place de l'amour?

Quand je suis aimée, et que je reçois encouragement et appui, je suis à mon meilleur. On doit ouvrir une zone pour recevoir et donner de l'amour, ouvrir le miroir de son cœur, pour que l'autre puisse s'y refléter et s'ouvrir à son tour. Il faut offrir la même chose à nos enfants. J'ai la chance d'avoir un fils formidable et une relation exceptionnelle avec lui. Je suis passée de maman à guide si je peux dire. Je suis une adulte significative pour lui, non en raison de mes enseignements, mais parce que je continue et avance encore. Avancer et aimer, c'est une affaire de santé!

Les autres, l'amitié?

L'amitié est aussi cruciale que l'amour. J'ai grandi dans le Vieux-Québec, on connaissait tout le monde et j'ai appris de ma mère qu'il est bon de saluer les gens et de prendre le temps de leur parler. J'ai gardé cette habitude et dans mon quadrilatère du Plateau, je salue mon monde quotidiennement. Cette attitude fait écho à ma joie d'être en vie, permet à l'enfant de continuer à vivre, à la femme de vibrer… Mais cette joie, je dois la cultiver car chaque jour il me faut enlever de la souffrance accumulée. Toute la souffrance du monde qui nous est renvoyée dans les médias, toute celle que je vois dans la rue, toute cette perte de sens.

Les autres bonheurs?

La bicyclette, la marche, la lecture, l'amour, beaucoup d'affection… C'est une de nos grandes activités avec mon amoureux, caresses et bécotages font partie de notre gestuelle de vie! On se bécote, on se fait rire, on trouve à rire.

Le paradis?

Je crois que le paradis est un espace dans la conscience. Chaque fois qu'on a le sentiment d'avoir avancé, on trouve un contentement et on se sent reconnaissant de vivre. Cette reconnaissance, c'est de l'amour. Un sentiment de sérénité s'en dégage, une certaine paix aussi. C'est ça le paradis, c'est la paix. C'est être en paix. Cet état m'apparaît encore plus important que la notion du bonheur qui, elle, fluctue.

***

Jeune, elle a lu une phrase en laquelle elle a cru et qui l'a mise en piste: «L'artiste est la lanterne de la société.» Voilà.

Voilà ce qui se cache parfois sous un long manteau rigolo!

Extrait du *Yi King* sur les cérémonies religieuses et la musique

Quand, au début de l'été, le tonnerre, l'énergie électrique, sort de la terre en grondant, et que le premier orage rafraîchit la nature, une longue tension prend fin, la clarté et la joie s'instaurent. De même la musique a le pouvoir de dissiper dans les cœurs la tension, effet des sentiments sombres. L'enthousiasme du cœur s'exprime spontanément dans le chant, la danse, les mouvements rythmiques du corps. Depuis toujours, la vertu exaltante des sons invisibles qui émeuvent et unissent les cœurs des hommes a été ressentie comme une énigme. Les souverains mettaient à profit ce goût naturel pour la musique. Ils le rehaussaient et l'ordonnaient. La musique était regardée comme une chose grave et sainte, devant servir à purifier les sentiments des hommes. Elle était destinée à célébrer les vertus des héros et à lancer ainsi un pont un direction du monde invisible. Dans le temple, on s'approchait de la divinité en s'accompagnant de musique et de pantomimes (celles-ci ont ultérieurement donné naissance au théâtre). Les sentiments religieux envers le Créateur du monde étaient purifiés au moyen des sentiments humains les plus saints, la vénération à l'égard des ancêtres. Ceux-ci étaient invités à ces services divins en tant qu'hôtes du Seigneur du ciel et représentants de l'humanité dans ces régions supérieures. En unissant le passé humain et la divinité en de solennels moments d'émotion religieuse, on scellait le lien entre la divinité et l'humanité. Le souverain, qui honorait la divinité dans ses ancêtres, était par là le Fils du Ciel en qui le monde céleste et le monde terrestre entraient mystiquement en contact. Ces pensées constituent le résumé ultime et suprême de la civilisation chinoise. Confucius a lui-même déclaré au sujet du grand sacrifice au cours duquel ces rites étaient accomplis: «Celui qui aurait pleinement compris ce sacrifice pourrait gouverner le monde comme s'il le faisait tourner dans le creux de sa main.»

Hexagramme 16. *Yu / L'enthousiasme*

Hélène
À la recherche du son perdu

«Le chant est très physique. Toute vocalise ira chercher une ouverture dans une partie du corps», dit Hélène. Certaines vocalises obligent à rentrer et sortir le ventre, d'autres facilitent la digestion, d'autres encore ouvrent la cage thoracique jusqu'au dos, ce qui amplifie la respiration. Chanter est exigeant et, en même temps, vivifie et fait circuler l'énergie. «Notre corps vibre! Ce n'est pas une abstraction ni une vue de l'esprit, c'est bien réel. Quand on place une main sur la plaque osseuse de notre poitrine, juste au-dessus des seins, en émettant un son grave, on sent la vibration. L'os est la matière dont on sent le plus la résonance.»

C'est au cours d'un long voyage qui l'amènera jusqu'au Népal, la trentaine amorcée, qu'elle a découvert le chant classique indien. Au retour, sa décision est prise: elle entreprend des études formelles en musique à l'Université de Montréal et termine son bac en enseignement. Hélène enseigne le chant depuis une dizaine d'années, tant le rap maintenant que le jazz ou le classique; elle prépare également des ateliers d'interprétation et de petits concerts.

«La plupart des gens suivent un cours de chant par besoin personnel, parce qu'ils font de l'anxiété et disent avoir de la difficulté à respirer. D'autres vont vers le chant justement pour ouvrir leur voix et arriver à s'exprimer d'une manière plus fluide.» Le travail de vocalise se fait au piano et comporte, comme il se doit, réchauffement, posture et interprétation. Généralement, on travaille sur un registre plutôt restreint pour ne pas abîmer l'appareil vocal, mais Hélène fait travailler ses étudiants sur trois octaves, donc sur la totalité du registre de leur voix. «Avec l'apprentissage de notre langue, avec la répétition du son parlé, le registre de notre voix s'amoindrit tranquillement. On entend bien l'étendue du registre possible de la voix chez l'enfant au tout début de sa vie, il émet des sons et des cris stridents qui nous surprennent complètement. »

Il existe plusieurs types de voix. Certaines sont placées dans le masque du visage, à l'avant, autour du nez ; il s'agit alors d'envoyer la voix vers l'arrière, d'ouvrir la résonance en travaillant le volume. Avec une élève particulière, à la voix extrêmement nasale, Hélène a réussi « à enlever ce qu'il y avait de trop métallique et à faire ressortir le velours, la voix est devenue vraiment belle, une belle voix de chanteuse folk avec quelque chose de très souple ». Plus tard, cette jeune femme lui a confié son désir de faire partie d'une chorale et lui a demandé de l'aider à travailler ses vocalises et à préparer sa chanson d'audition. Il s'agissait d'une chorale assez avancée qui présentait des concerts en Europe ; on exigeait donc que les choristes aient de bonnes notions de solfège et qu'ils puissent lire la musique, ce qui n'était pas le cas de cette jeune femme. Quand elle a chanté pour le maître de chœur, il lui a dit : « Habituellement, je ne retiens que ceux qui ont une bonne lecture mais vous avez une exceptionnelle voix d'alto. » « Il n'y a pas d'élus et de non-élus en chant, dit Hélène, tout le monde peut chanter. J'ai entendu des voix de vilains petits canards se transformer en voix de soie. La voix chantée ouvre un spectre d'expériences plus larges, elle fait vibrer à plusieurs niveaux, et au cerveau, elle procure une augmentation d'endorphines… »

Une expérience personnelle a conduit Hélène à ajouter un volet à son expertise, le chant prénatal. Lorsqu'elle a accouché de son fils, pendant les contractions, d'instinct elle s'est mise à « lyrer » pour tenter de contenir sa douleur. Tout au long des heures, d'une contraction à l'autre, elle a senti une réelle différence. C'est après l'accouchement qu'elle apprend que l'émission des sons graves, en plus d'obliger à se concentrer, permet de sécréter des endorphines qui atténuent considérablement la douleur des contractions. « Émettre des sons graves continus aide à entrer dans la vague de la contraction, d'être en accord avec ce qui se passe dans notre corps au lieu de le craindre et de s'y opposer…» Le défi !

Pour explorer concrètement le phénomène, Hélène étudie en psychophonie avec Diane Ricard. Emballée, elle veut poursuivre et approfondir, mais le cours sur le chant prénatal se donne en France. Hasard ou prédestination, au moment où elle décide de se rendre là-bas, elle apprend que le cours sera donné à Trois-Rivières. C'est Marie-Louise Auger, cantatrice de formation classique, qui s'est intéressée aux correspondances entre le son et le corps et qui a développé une méthode accessible. En investiguant le domaine, Marie-Louise Auger a travaillé avec une sage-femme reconnue, Chantale Verdière ; c'est elle qui a été responsable de la formation donnée au Québec.

Ainsi, en chant prénatal, on travaille moins vigoureusement que dans les cours de chant ordinaires, on travaille plutôt à s'apaiser, puis à tonifier et à amplifier la respiration à travers les vocalises, divers exercices et respirations. On vise à développer un dialogue amoureux et conscient avec son enfant, à alléger certains malaises inhérents à la grossesse et à préparer à l'accouchement.

Le travail est ludique. Les vocalises sont drôles ou expressives, elles tiennent lieu de langage ; par exemple, on tente d'exprimer la joie ou la compassion et, ce faisant, on tonifie le périnée ou on muscle la sangle abdominale. Certaines vocalises activent la mâchoire et la bouche en même temps, elles travaillent l'ouverture du corps. Pendant l'accouchement, si la bouche est relâchée, l'ouverture le sera ; si la mâchoire est relâchée, le bassin se relâchera, ils sont reliés. De la même manière, en amplifiant les capacités respiratoires par le développement de la respiration dorsale, on peut alléger l'inconfort et l'oppression ressentie en fin de grossesse.

Au stade initial, dans la vie intra-utérine, l'enfant perçoit d'abord par la peau. Les parents apprennent (en haptonomie) à toucher, à chercher où l'enfant se situe. L'enfant répond à cette quête, car le parent sent une présence accrue dans sa main; il y a donc déjà un dialogue tactile qui s'établit. Autour de quatre mois, l'oreille du bébé est suffisamment formée pour qu'il entende : viennent les berceuses. Cette attention et cet amour servent à développer son corps et sa solidité affective. « Plus l'amour passe, en même temps que passent les hormones et les substances nécessaires, plus l'enfant est aidé dans son développement. Dans cet échange constant, le chant est un terreau pour sa vie affective, donc, en pratiquant, on amplifie ce que l'enfant vit, car il baigne déjà dans la résonance des voix qui l'entourent, celle de sa mère d'abord, qu'il sent toute proche, puis celle de son père, qu'il reconnaîtra comme provenant de l'extérieur. »

Dans le chant, l'enfant sent le corps vibré, le corps de sa mère devient une caisse de résonance connue sur laquelle il peut se blottir. Ce contact physique le rassure, le réconforte et l'apaise dans sa chair. Quand il naît, en plus de l'odeur des corps, le son peut être un repère clair, il reconnaîtra quelque chose des berceuses ou des vocalises chantées au cours de la grossesse. Passé la sortie du corps et l'expérience que ceci représente pour le nouveau-né, on se dit, avec raison, que s'il retrouve en plus sa berceuse, il retrouvera une partie accrue de son monde d'avant et restera relié à son univers familier.

Une jeune maman, Isabelle Giroux, a bénéficié de cette approche pendant les trois derniers mois de sa grossesse. « Enceinte, je me suis aperçue que le registre grave de la voix se développe. Je sais maintenant que c'est hormonal, quelque chose en soi est déjà en train de s'organiser; le travail avec les vocalises permet de l'intensifier et de poursuivre. » Au cours du dernier mois, Hélène et Isabelle ont travaillé avec des sons simples sans aucune fioriture, des sons naturels presque bruts. Pendant l'accouchement, Isabelle a bien senti les douleurs s'engourdir au fur et à mesure que le son grave et rauque, formé de « a » ou de « o », est descendu le long de sa colonne vertébrale jusqu'à son bassin. Chaque fois qu'elle est arrivée au bout de son souffle, son amoureux a continué à émettre des sons qu'elle finissait par rattraper. Appuyée sur sa poitrine à lui, par instants, elle a retrouvé une chaleur et un sentiment de sécurité semblables à ceux qu'elle avait connus enfant quand, assise sur son père, l'oreille collée sur son torse, elle écoutait sa voix résonner. Isabelle a accouché à La maison des naissances: 24 heures de latence, 3 heures de travail. Le yoga et l'aquaforme ont également fait partie de ses activités; elle a mis toutes les chances de son côté. « Je me suis concentrée sur ma grossesse, je me suis occupée à être enceinte! » Pour la berceuse, elle a choisi une chanson d'amour d'Anne Sylvestre qui dit: « Je t'aime fort, fort, fort… Comme l'eau qui dort… » Souvent, tandis qu'elle marchait tranquillement en tenant son ventre, elle chantait la berceuse pour couper son bébé du bruit venant de la rue. « Chaque fois que je chante quoi que ce soit maintenant, j'obtiens son entière attention, il s'arrête, écoute ou se met à rire. Il grandit merveilleusement bien. On me dit que mes seins ne contiennent pas du lait mais de la crème! »

***

Le savoir et la pratique d'Hélène sont le fruit de quelques efforts et grands voyages. Quand elle est partie à la conquête de sa propre vie, bien avant ses études universitaires, elle sentait un réel besoin de couper avec le monde connu et a choisi de se dépayser. Premier arrêt: Hong Kong. Puis, cela a été le début de longs trajets en train à parcourir les villages, à se faire des amis tout en entretenant l'idée de se rendre au Tibet; nous sommes en 1987.

Ses bagages sont légers, carnets et rêveries la suivent partout. Son amoureux la rejoint un moment en Thaïlande, juste avant qu'elle prenne la route pour le Japon. Pour amasser de l'argent afin de prolonger son voyage le plus longtemps possible, elle se transforme un moment en hôtesse dans un bar karaoké. Les belles étrangères qui parlent anglais sont bien payées. On lui demande simplement de faire la conversation et d'allumer les cigarettes des hommes d'affaires japonais; ils doivent apprendre l'anglais, les patrons l'ont exigé. Le jour, elle s'adonne au taï chi, à la méditation. Au bout de quelque temps, elle s'envole pour le Népal. Là-bas, elle se lie d'amitié avec un Espagnol qui joue du bansouri et découvre, enchantée, le tabla, un instrument de percussion formé de deux tambours non reliés, un petit et un gros, qui donnent un son profond. Un soir, pour s'amuser, elle chante *Carmen*; l'Espagnol applaudit et insiste pour la présenter à Ram Hari, un professeur extraordinaire. Ce jour arrive et le professeur lui demande de chanter un peu. Hélène s'exécute immédiatement, sans gêne, du mieux qu'elle peut. Elle sent monter tant de joie, tant de ferveur qu'elle se dit: «Eurêka! C'est ici. J'y suis.» Le professeur lui demande: «Combien de leçons peux-tu payer?» Elle fait un calcul rapide, le centre de yoga où elle habite n'est pas coûteux et lui répond: «Trois leçons par semaine.» «D'accord, réplique-t-il, tu paies trois leçons, mais tu viens tous les jours.»

Le professeur, qui avait vécu à Bombay, un des centres culturels et musicaux importants, s'est installé au Népal quand son frère est décédé; la coutume chez lui veut que l'on veille sur la famille des siens. C'est ainsi qu'à Katmandou, il a recréé cette ambiance musicale et artistique autour de lui; il enseigne le tabla, la flûte, l'harmonium et le chant.

Hélène passe ses journées à l'école. En plus de ses cours et de ses pratiques, elle assiste aux leçons de tous les autres élèves. Un Japonais joue de la flûte, un Indien de l'harmonium, elle joue du tampura, grosse calebasse et cordes. «Cet instrument qu'on place entre les jambes fait ressentir la musique dans tout le corps, c'est extraordinaire. Je baignais dans cette culture musicale toute la journée. Ces instants privilégiés me donnaient le sentiment de vivre dans un autre monde, un monde où les moments sonores servent de passage pour traverser le temps, le passé, même le futur peut-être. On croit toucher aux sons initiaux, éternels. »

Le samedi, tous les élèves se rendent au temple de la déesse Kali pour faire de la musique. Instants de paradis sur terre. « De nombreux Occidentaux qui voyagent en Asie découvrent la musique. La musique est partout et parfaitement accessible. Quand les gens voyagent longtemps, ils ont besoin de créer des habitudes, d'organiser leur quotidien, au moins pour un moment. Dans les séjours prolongés, dans cette absence de repères, certains deviennent oisifs et désœuvrés, perdent leur consistance, se dissolvent. Les cours de musique donnent un but et un point d'appui. » Et peuvent donner une direction pour une vie. Son voyage a duré deux années.

La fructueuse quête d'Hélène, son amour du chant et de la musique, sa sensibilité particulière à l'enfance et au développement font un merveilleux écho à son héritage humain personnel. Sa mère est québécoise, son père est né en République dominicaine, et, jeune homme, il fut chanteur de sérénade ! Là-bas, dans son pays de musique et de soleil, quand un homme a une belle voix, les autres lui demandent d'aller chanter sous le balcon de leurs belles et ils se tiennent derrière pendant qu'il s'exécute. Son talent lui a valu quelques mésaventures, comme cette fois où la vieille camionnette s'est enlisée dans la boue, sous une pluie qui n'en finissait pas. Il a continué le trajet à pied, sans souliers ; cette fois-là, il allait chanter pour lui-même ! Son père avait plus d'un talent, et il est né, comme il l'a souvent répété, sous une bonne étoile malgré le difficile début de sa vie. Son histoire est si merveilleuse ; en voici quelques irrésistibles fragments.

Sa mère décède lorsqu'il n'a qu'un an. Son père, photographe ambulant, ne s'occupe guère de lui et l'enfant est accueilli par une tante. Cette fois, il a plus de chance, l'oncle, infirmier ambulant, le prend souvent par la main et l'emmène sur les routes. L'enfant le regarde soigner les malades ; plus tard ; il voudra faire comme lui. Il comprend tôt, dit Hélène, que l'éducation sera sa survie. À l'école, ses notes sont bonnes et on le remarque. Dans ce même village, une dame, qui fait partie des notables, le prend en charge, il peut ainsi poursuivre des études en ville. Ainsi, tout au long de sa vie, à travers les difficultés, il sent la main du destin et apprend à faire confiance. Il obtiendra une bourse, fera sa médecine en République dominicaine et sa spécialisation en neurologie à Paris. À son retour d'Europe, il s'installe à Montréal et caresse l'espoir de retourner dans son pays natal, mais la dictature de Trujillo le lui interdit. Il épousera une infirmière qui deviendra la mère d'Hélène. Quand il la courtise, ils passent de longues heures à parler dans la voiture, avant qu'elle descende. Dans ces instants où ils sont seuls, il parle à voix basse de l'histoire de son pays pour être certain que personne n'entende. On n'imagine pas à partir d'ici.

Il sera médecin à peu près sept jours sur sept. L'été, au moment des grandes vacances, famille et amis roulent le long du Saint-Laurent jusqu'à Saint-Fabien-sur-mer, et tout le monde chante. Certains jours, lorsqu'il arrive à oublier l'exigence de sa profession, il joue même de la guitare. «Ces étés-là, dit Hélène, les yeux d'un bleu aussi cristallin que sa voix, nous en rêvions toute l'année…»

**

Le plus difficile dans ton métier de professeur?

De rester une chanteuse! En enseignant, on se prend à devenir un professeur, puis on devient son propre professeur et on s'éloigne du plaisir pur, de la recherche de la nouveauté. On peut facilement tomber dans la répétition, ou l'hyperexigence envers soi-même. Recréer l'espace de liberté, être juste dans l'expression, c'est ça le plus difficile.

Le plus facile ?

Donner ! Transmettre, être en contact avec l'âme de l'autre. Quand j'enseigne, j'aime !

Sur le paradis perdu de l'enfance ?

C'est vrai que l'enfance nous apparaît comme le lieu de tous les possibles, le lieu de la plénitude. Quand j'étais petite, je croyais que je savais tout, que je pouvais tout faire… Quand je trouve ce que je cherche, je redeviens cette enfant et je retrouve un sentiment de paradis. Quand, au Népal, j'ai crié « Eurêka ! » en trouvant cette musique ancienne, ces instruments, ce professeur, je venais de retrouver un espace de paradis.

***

Un étudiant d'un âge certain qui, tous les soirs, va danser et, une fois par semaine, vient chanter chez Hélène se plaît à répéter à tous ceux-là qui se sentent mal : « Allez donc chanter, allez donc danser ! »

« Tant que les enfants feront des rondes
autour d'un oiseau blessé
tant que dans l'ombre
on construira des châteaux de cartes ensoleillées
à la lueur de gestes d'hommes
tant qu'on suivra les chemins du cœur
il y aura quelqu'un au rendez-vous… »

Roland Giguère, Forêt vierge folle

Geneviève
Allonger l'échine et suspendre le temps

« Chaque fois que l'idée d'arrêter de danser est venue, une petite voix intérieure m'a empêchée de le faire. Je ne sais pas d'où vient cette intuition de mon destin, mais elle est extrêmement profonde. Cette voix a guidé ma vie et m'a menée là où je suis. » Première danseuse aux Grands Ballets canadiens. Geneviève est entrée à la compagnie en 1992 à l'âge de 19 ans et détient son titre depuis 1998.

Enfant, elle suit des cours de ballet jazz et rêve de devenir comédienne. Au conservatoire Lasalle, elle se fait une amie qui rêve de Saint-Pétersbourg et des Ballets russes. Les filles ne se quittent plus, elles échangent rêves d'avenir et pas de danse. Un samedi, en matinée, elles assistent à la représentation du film *White Nights* « où Mikhaïl Baryshnikov joue le rôle de Nikolaï Rodchenko, un légendaire danseur soviétique… » Les filles sont complètement seules dans la salle de cinéma et quand Baryshnikov et Gregory Hines attaquent les grands moments, elles courent et dansent entre les rangées en imitant ce qu'elles voient à l'écran ! La folie, l'euphorie ! « Ce film a déclenché plus d'une carrière de danseur… » dit Geneviève.

Quelque temps plus tard, arrive le premier jour d'audition de la concentration ballet de l'école Pierre-Laporte. Geneviève s'y présente vêtue d'un collant et d'un maillot noirs, pieds nus, les cheveux tombant sur les épaules. Autour, les filles portent des maillots roses et leurs cheveux sont montés en chignon, comme il se doit. Son père qui l'accompagne, pour la consoler, lui murmure à l'oreille : « C'est correct. On va te remarquer, c'est encore mieux que tu ne sois pas pareille aux autres. » Mme Chiriaeff l'aperçoit et s'empresse de lui apporter des chaussons.

« Les professeurs ont tout de suite vu que je n'avais aucun entraînement. Jamais une ballerine, même débutante, ne se serait présentée pieds nus ! » Les professeurs ont aussi vu qu'elle avait des lignes et un vrai potentiel. Vincent Warren, danseur, maintenant historien, toujours impliqué auprès des Grands Ballets, répète encore qu'en la voyant, il a soufflé : « On la garde. » Une fois à la barre, Geneviève a eu un sentiment de déjà-vu. « Au moment de prendre la position 5e en haut, de tendre le bras, je savais qu'il fallait que je voie mon bras, qu'il devait faire partie de mon champ de vision. On ne me l'avait jamais dit, mais je le savais. »

Le destin a ses exigences. Elle vit à La Prairie, on doit donc lui trouver une pension car le trajet est bien trop long. Elle est accueillie dans une famille de Ville Mont-Royal ; le changement est dramatique, elle se retrouve au début du secondaire, en terre étrangère, sans aucun repère, et s'ennuie à mourir de sa mère, de sa famille, de son monde. À l'école, ce n'est pas facile non plus ; il y a des cliques, des rivalités immédiates, et, comme elle ne mange presque rien, elle tombe bien vite dans le cliché de la danseuse anorexique. Geneviève sait, sans l'avouer, qu'elle ne mange pas par tristesse ; elle ne peut rien avaler. Pendant les cours, elle pleure ; on croit que c'est à cause des difficultés. Le soir venu, elle confie son chagrin aux pages de son journal ; les larmes diluent l'encre et effacent les mots.

Les semaines passent, elle n'en peut plus et, un vendredi soir, alors qu'elle fait ses bagages pour rentrer à la maison, elle y met à peu près tous ses vêtements. Fini l'école de ballet! «J'étais de bonne humeur, je volais, toute ma peine était passée. Je ne l'ai pas dit à personne, c'était mon secret.» En parallèle de sa liberté intérieure retrouvée, un sentiment effroyable l'assaille: «J'étais heureuse, mais j'avais aussi une drôle d'impression qui me disait que je pourrais regretter ma décision.» Finalement, au cours de la fin de semaine, c'est sa mère cette fois qui intervient: «Ce serait dommage, lui dit-elle, tu y tenais tellement», et elle lui donne la possibilité de tout arrêter, de changer d'école, mais avant, elle propose de tenter autre chose: «Tu vas vivre ici et tu voyageras en autobus.» Ce qu'elle a fait, non sans peine. Certains soirs d'hiver, elle rentre autour de 20 heures; souper, bain, devoirs, dodo et ça dure des années. Ce qui lui donne le courage de continuer, ce sont deux petites amies. Dans sa tête d'adolescente, elle imagine que dans une autre école, elle n'arriverait pas à se faire de nouvelles amies et serait seule; un sentiment bizarre qui a soutenu sa voie.

À la troisième année de cégep, les études scolaires sont finies, le ballet prend toute la place. Les élèves font alors partie du «jeune ballet», la compagnie charnière entre l'école et la scène. Les cours se donnent à La Maison de la danse, dans le même édifice que les Grands Ballets; on y vient de partout au Canada. Geneviève ne fera pas partie de cette compagnie junior, car déjà les Grands Ballets lui offrent un contrat d'apprentie: «La vie s'est ouverte tout à coup et s'est mise à ressembler enfin à ce que ça veut dire *vivre en compagnie*. On rit en travaillant, on rit sans arrêt, on fait des blagues toute la journée, on a mal partout, on est fatigué, on rit et tout passe… Cette discipline est extrêmement difficile à acquérir et on ne peut pas y arriver sans une extrême rigueur; si un relâchement survient, personne ne pourra plus devenir une danseuse ou un danseur classique.» Néanmoins, au long des années, la sévérité et l'exigence de l'entraînement ont souvent eu raison de sa confiance en elle-même.

Les compliments sont rares et les critiques constantes, c'est la norme.

« On apprend à ne pas s'aimer et à se corriger sans cesse. On se regarde toute la journée dans un miroir, et ce qu'on voit n'est jamais assez bon, on n'est jamais assez parfaite, assez mince, assez "moulée"... Après un spectacle, on se fait corriger, chaque jour on se fait corriger... C'est rare qu'on va nous dire "Bravo, c'était merveilleux..." Ces mots-là viennent plutôt de notre famille et du public qui viennent nous voir. Il faut être solide et puiser sans relâche dans notre confiance en nous-mêmes. J'ai traîné longtemps le sentiment d'être en examen. Avant un spectacle, mon estomac était si noué, je me souviens que je disais à mes parents : "Je vais mourir d'une crise cardiaque à quarante ans si ça continue." Je m'en mettais tellement sur les épaules. J'ai toujours eu un trac fou, et malgré les succès, intérieurement je souffrais beaucoup. Il a fallu que j'intervienne sérieusement pour arriver à approcher mon métier différemment et me défaire peu à peu de ce constant sentiment d'insécurité. C'est en lisant *Libérez votre créativité (The Artist's Way)*, de Julia Cameron, que j'y suis arrivée. J'ai enfin pu reconnaître le trac pour ce qu'il est : du trac de scène ! Et je me suis enfin vue comme une artiste. Une femme non pas en examen, mais bien dans sa peau, dans sa création et dans son action. J'ai compris que ma vie n'était pas en danger, que les gens n'étaient pas méchants et qu'ils n'étaient pas là pour me juger. J'ai toujours le trac pendant les premières secondes de mon entrée en scène, ensuite il s'estompe pour faire place à la jouissance d'y être et de vivre chaque instant. Ce changement salutaire fut absolument merveilleux. Si je n'étais pas arrivée à transformer ma manière de voir et de sentir ma vie, je ne danserais probablement plus. Je sais que j'ai quelque chose à offrir, la scène est là pour moi et je ne suis pas en examen. Il faut sans cesse se rappeler toutes ces vérités simples et fondamentales qu'on oublie : nous sommes des êtres pensants et sensibles à qui on demande de carburer à plein régime chaque jour, et c'est vrai pour tellement de gens.

En danse, nous pratiquons de 9 h 30 à 18 h, cinq jours par semaine, malgré nos peurs, nos blessures, notre mécontentement, notre déception parfois de ne pas avoir obtenu un rôle, malgré qu'on ne gagne pas beaucoup d'argent, malgré qu'on puisse ne pas aimer un chorégraphe, malgré la jalousie et la compétition. Ma grossesse m'a obligée à m'éloigner et cet éloignement m'a fait voir le feu que ça prend pour danser! Tout le monde dans la compagnie a une énergie vitale assez exceptionnelle; matin après matin, il faut faire revenir ce feu.»

En revanche, cette exigence cache un bénéfice exceptionnel. «En plein chagrin d'amour, comme un soir où je dansais *La fée Dragée* devant trois mille personnes, j'avais le cœur brisé et il est arrivé ce qui arrive toujours, ce moment magique et merveilleux où je me suis dit: "Ceci m'appartient, on peut me quitter, je peux tout perdre, mais je ne perdrai pas ce port intérieur." Je me suis tenue droite pendant tellement d'années, je sais comment me tenir droite. Ce cadeau extraordinaire que je possède à l'intérieur de moi s'est construit petit à petit. C'est absolument nécessaire de sentir qu'on se donne quelque chose à soi-même à travers ses études ou son art, quelque chose que personne ne peut nous enlever. On dit souvent que la danse est éphémère, qu'il ne reste que des affiches et des photos, mais cette tige le long de laquelle je me hisse sera toujours là, me servira toujours. J'ai vécu des moments de pure félicité sur scène, des moments où le temps s'arrête et où tu as l'impression que le bon Dieu t'embrasse.»

***

Que faut-il faire pour bien mener sa vie d'artiste?

Cultiver, nourrir la foi. Croire en la valeur de son métier. Au début, j'ai ressenti beaucoup d'angoisse à l'idée de ne pas avoir un vrai travail. J'ai longtemps cru que mon métier ne servait à rien! C'est faux. Quand j'assiste à un spectacle et que j'en reviens remplie de bonheur ou l'esprit allégé, ça peut durer des jours entiers, des semaines parfois. Dans ces moments-là, on sait que l'art sert vraiment à quelque chose. L'art est essentiel. L'art ajoute au bonheur.

Le point d'appui ?

Ne jamais perdre de vue le bonheur de danser, le bonheur de vivre une musique à travers mon corps, mes gestes. Il ne faut pas glisser dans la «job»! Nous ne dansons pas quand nous en avons envie, nous dansons tout le temps. Il faut retrouver chaque fois son bonheur.

Écrire des chorégraphies ?

Je ne sais pas. Quand j'écoute de la musique, je sens des choses, je peux les interpréter, mais je n'ai jamais essayé d'inventer un mouvement. Je travaille avec les meilleurs chorégraphes du monde… J'ai le temps d'y penser.

D'autres activités et plaisirs ?

J'adore suivre des cours. J'ai suivi des cours de cuisine, des cours d'histoire du Canada et du Québec, pour rafraîchir mes connaissances et être encore plus apte à apprécier ce qui se passe dans l'actualité. J'aime faire partie de mon époque, c'est la moindre des choses que de se tenir informée de ce qui se passe dans le monde et autour de soi. Autrement, j'adore la pêche et le camping, les soupers entre amis et, bien entendu, la vie de groupe.

C'est parce qu'on a perdu le paradis que l'on crée, chante, danse ?

Pour en retrouver une partie, pour toucher à quelque chose d'essentiel qu'il est difficile d'atteindre autrement, par la méditation peut-être. Pour moi, danser est spirituel. Un jour, je suis sur scène et j'attends le moment d'entrer dans la danse. Les voix des chœurs emplissent l'espace tandis qu'on joue *La symphonie des psaumes* de Stravinsky… Je suis debout sur une chaise, hissée à l'intérieur, et j'ai un sentiment d'éternité. Il n'y a plus de temps, je me sens vraiment au paradis.

***

Puis, il y a eu cet autre instant, un matin, dans la belle salle de répétition, merveilleusement claire en raison des deux murs de fenêtres. Geneviève est en position, le pianiste amorce une musique qui lui est inconnue. C'est si beau que des larmes se mettent à couler sur ses joues. Au même moment, un rayon de soleil pénètre dans la pièce et elle sent sa chaleur sur son front. Cet instant, comme une bénédiction, l'a consolée de bien des efforts et lui a donné confiance pendant très longtemps. Voilà sans doute pourquoi on dit « danseuse étoile ».

***

Le ballet classique est issu des élégantes danses de la cour de Louis XIV, m'apprend-elle. « Cette danse a évolué, traversé les époques. Au début, cette liberté d'expression physique n'était pas bien vue partout. Quand les Ballets Chiriaeff, ancêtres des Grands Ballets canadiens, furent créés en 1952, paraît-il que le clergé n'était pas très favorable à cette *démonstration de jambes* pendant l'heure du concert à Radio-Canada ! »

Geneviève Guérard et Mariusz Ostrowski, dans le ballet
Celle qui, dit-on, aurait perdu sa chaussure (Cendrillon)

Chorégraphie : Stijn Celis
Photographie : Serguei Endinian
Gracieuseté des Grands Ballets canadiens

« L'art-thérapie est constructive. La première règle est de ne pas copier. La deuxième est qu'il faut d'abord dessiner le cadre. Parfois, Hill propose une flânerie sur le papier avec le crayon à partir de quoi il n'y a qu'à se laisser féconder par un tableau[7]. »

Adrian Hill

L'art-thérapie

Points de vue sur la pratique
Extraits des ouvrages d'Annie Boyer, de Richard Forestier et de Jean-Pierre Klein

Annie Boyer, *Manuel d'art-thérapie*[8]

« L'œuvre est une œuvre. Bonne ou mauvaise, mal appréciée, rejetée, regardée, exhibée… peu importe. L'œuvre est là. Elle n'a pas à être interprétée. Ce qui est important est ce qui se passe

---

7. Adrian Hill, *Art versus Illness*, Londres, 1945 ; *L'art contre la maladie, une histoire d'art-thérapie*, Paris, 1947, cité par Jean-Pierre Klein dans *L'art-thérapie*, Paris, Presses universitaires de France, 1997, p. 49.

8. Annie Boyer, *Manuel d'art-thérapie*, Toulouse, Éditions Privat, 1992, p. 22, 59 et 140 (extraits).

pendant sa construction, ce qui est mouvement, transfert dans le cadre mis en place. L'art-thérapie, c'est cela.

« Une des principales vertus de l'art-thérapie, c'est de permettre de renouer la relation. Dans la relation à soi-même, c'est accepter l'enfant que l'on a été ; c'est reprendre confiance en ses capacités créatrices ; c'est être un peu moins rigide dans ses défenses, se laisser aller sans être en danger. C'est aussi accepter l'échange avec les autres durant les séances collectives. S'imposer, oser se montrer, mais aussi respecter l'autre à travers son travail. Cela débouche sur une ouverture sociale qui peut être très importante. L'échange qui a eu lieu à travers l'écoute, le regard, le geste, va perdurer dans le monde social. Une psychothérapie est réussie si le patient s'inscrit à un cours de dessin ou de musique, va visiter des musées, va au concert.

« Bénéfices identifiés face à certaines maladies ; névrose : déblocage de l'action et de l'expression ; psychose : facilite la relation, l'adaptation au réel ; états dépressifs : mettant en jeu l'espace transitionnel (atelier, équipement, préparation, relation). L'art-thérapie permet une relance plus rapide de l'appétence à vivre ; l'œuvre collective : apporte réconfort et bien-être, elle permet de se laisser porter. Pendant la création d'œuvre collective, on crée aussi une œuvre personnelle – il y a ainsi un aller-retour entre le collectif et l'individuel. En rapport avec une blessure narcissique, la création offre une nouvelle manière de communiquer. »

***

Richard Forestier, *Tout savoir sur l'art-thérapie*[9]

«Nous savons depuis l'Antiquité que le phénomène artistique a le pouvoir d'entraîner les hommes vers la beauté, qu'il provoque des effets relationnels… et qu'il apaise les âmes. En cela, l'art éduque.

«Lorsqu'un artiste produit, jamais il ne dit et, peut-être même, ne pense : "Je fais du beau." Mais il fait quelque chose. Et cette action avec la production qui se réalise produisent en lui un état mélangé de jouissance, souffrance, absoluité, fragilité tant physique que spirituelle. Plus simplement, en reprenant le mot de Courbet à qui l'on demandait à quoi il pensait lorsqu'il peignait un paysage : " Je ne pense pas, Madame, je suis ému."

«[…] l'action de produire une œuvre d'art peut s'appréhender de manière différente suivant que l'on est physiologiste par l'étude du physique, suivant que l'on est psychologue par l'étude de l'esprit, et suivant que l'on est artiste par l'étude esthétique. Reconnaissons que ce dernier cas n'est apparemment pas très scientifique. Et pourtant, il existe. Donc, il nous faut aborder le phénomène artistique par l'observation des faits qui le caractérisent d'abord, puis par la recherche de la cohérence qui peut exister entre ces faits et la nature de l'homme. C'est à ce moment que notre travail devient véritablement scientifique.

«En plongeant au plus profond d'elle-même pour extirper ses goûts, ses intentions, ses possibilités, en un mot pour laisser sa personnalité s'exprimer, la personne malade ou handicapée trouve avec l'art-thérapie le moyen de revigorer la qualité de sa fonction existentielle. Puis, s'inscrivant dans les rouages du phénomène artistique, la fonction raffermit le sens et le goût de la vie d'abord, ensuite permet à l'homme malade de retrouver sa

---

9. Richard Forestier, *Tout savoir sur l'art-thérapie*, Lausanne, Éditions Favre, 2000, Introduction, p. 110 et 114 (extraits).

valeur humaine. La reconnaissance de cette valeur redonne leur dignité aux hommes. »

***

Jean-Pierre Klein, *L'art-thérapie*[10]

«On pourrait définir l'art-thérapie comme une psychothérapie à médiation artistique. L'art serait ainsi un moyen parmi d'autres, une technique au même titre que le médicament. En fait, l'art-thérapie est bien davantage : elle interroge l'art comme elle interroge la thérapie, elle explore leurs points communs comme leur enrichissement réciproque dans une complémentarité étonnante.

«Dans un monde où les grands questionnements sont occultés, l'art comme la philosophie sont les derniers bastions pour aborder les mystères. La thérapie, de son côté, met l'accent sur la transformation positive de soi. L'art-thérapie fait se rejoindre les deux démarches, elle touche le propre de la condition humaine, son approche est ancrée dans l'individu global, son esprit, son corps et son âme, qui à travers ses productions, atteint parfois à la figuration de ses mythes individuels comme versions de thèmes collectifs : telle histoire renvoie au thème du sacrifice, telle figuration à celui du double, telle création musicale au rapport avec le chaos, telle danse au passage de la lourdeur à une grâce éphémère. La personne s'aperçoit que le thérapeute est sensible à cette symbolique qui le concerne aussi et leur communication interpersonnelle est faite de ce qui est à la fois singulier à chacun, commun à leur rencontre, et universel.

«Il s'agit en quelque sorte de créer des "mises en formes imaginaires de soi-même", des déclinaisons de son identité à tra-

---

10. Jean-Pierre Klein, *L'art-thérapie*, Paris, Presses universitaires de France, 1997, p. 41, 43, 49 et 114 (extraits).

vers des formes artistiques dans un parcours de créations qui provoquent peu à peu la transformation du sujet créateur, qui lui indiquent un sens, partent de ses douleurs et de ses violences, de ses folies, de ses joies aussi, de toutes ses intensités, de ses idéaux comme de ses forces obscures, pour en faire le matériau d'un cheminement personnel. Bref, comme on l'a parfois dit, "transformer la merde en engrais" ou, de façon plus policée, transformer les obstacles en épreuves, en étapes de la geste du héros qui s'appuie sur ses difficultés tant extérieures qu'intérieures pour continuer sa quête. La personne peut comprendre alors qu'à travers son cheminement elle rejoint le mouvement même de l'être humain essayant d'être un peu plus sujet de sa propre destinée. La thérapie signifie ainsi le refus de l'homme de s'abîmer dans le mal, le malheur, la maladie, le mal-être, le malin et le maléfice.

« […] des réflexes d'artiste servent également : quand on est trop bloqué dans la réalisation d'une toile, s'éloigner de quelques pas et plisser les yeux permet de mieux percevoir quels mouvements et quelles oppositions de couleurs se dessinent sur le tableau indépendamment même de son contenu. Son organisation se révèle alors et les tendances qu'il faut encourager ou refréner. »

Sur le terrain
Entretien avec Pierre Plante

L'art-thérapie : à table, comme dans un atelier

Une vieille maison à étages abrite le centre Assistance d'enfants en difficulté ; employés et bénévoles y accueillent plus de 80 enfants par semaine. Les pièces sont petites, traditionnelles, comme on en trouve dans les vieux appartements de Montréal ; elles servent aux devoirs, aux loisirs, aux discussions, à la thérapie. La cuisine est coquette, à l'ancienne, la nappe qui recouvre la grande table de bois est agencée aux rideaux, d'un beau coton neuf, rempli de dessins de fleurs et de fruits. À partir de la fenêtre, on aperçoit en bas une petite cour bien aménagée. Dans la cuisine, les enfants partagent leur repas du soir. Certains d'entre eux n'ont pas mangé le matin, d'autres ne savent pas que l'on peut s'asseoir plusieurs autour d'une table, car ils ne l'ont jamais fait, ils ont plutôt l'habitude de finir un sac de chips et de vider une bouteille de boisson gazeuse en regardant la télé. La nourriture du centre provient des Cuisines collectives, un organisme sans but lucratif présent dans le quartier. Des paniers de provisions sont offerts aux familles grâce à Moisson Montréal. C'est à force de conviction, de courage, de générosité personnelle, de collecte de dons et de quelques mécènes inespérés, que le D\u1d3f Julien, auteur du livre *Soigner différemment les enfants*, a réussi à développer ce service d'accueil et d'aide à la communauté environnante. L'installation du centre, annexé à son bureau, ainsi que l'ensemble des services offerts se sont échelonnés sur plusieurs années. En 2001, ils ont pu recueillir suffisamment d'argent pour ajouter les services d'une psychoéducatrice et d'un art-thérapeute. C'est généralement à la suite d'une visite au bureau du médecin que les parents et les enfants sont envoyés au centre. Commence alors pour eux un voyage hors de leurs sentiers battus qui, parfois, transforme leur vie.

Ainsi, à la première rencontre avec l'art-thérapeute, parents et enfants décrivent la situation, expliquent ce qui se passe et ce qu'ils sont venus tenter de régler. Les questions soulevées sont cruciales pour la suite des événements. L'enfant est-il conscient que quelque chose ne va pas? Le parent le rend-il entièrement responsable du problème ou reconnaît-il une part de responsabilité? Quelles sont les difficultés réelles de l'enfant? de la famille? Chacun devra se mettre au même diapason et travailler dans le même sens. Le thérapeute leur fait comprendre les enjeux de la thérapie, l'enfant doit saisir qu'il ne s'agit pas d'un cours de dessin, et les parents doivent comprendre qu'ils sont des partenaires à part entière non pas par l'exercice d'un contrôle sur le déroulement de la thérapie, mais bien par rapport à la sincérité de leur participation.

Au début

Souvent en phase d'évaluation, le dessin à l'aveugle permet une exploration immédiate et directe de l'histoire en cause ou de l'univers intérieur de la personne qui consulte. Les yeux bandés, la personne est invitée à tracer des lignes et des formes sur une feuille, comme ça vient, sans trop y penser, «elle suit quelque chose dans le noir et cette chose a la capacité de s'organiser toute seule, comme si elle possédait une volonté propre, une vie autonome». À travers cet exercice, une partie de soi et de son histoire passe directement sur le papier en sautant les étapes et les barrières qu'autrement on pourrait dresser, soit par gêne, soit par peur ou en intellectualisant trop. Un dessin rudimentaire peut informer de ce qu'on ne soupçonne même pas.

Quand on utilise la parole, la censure vient facilement. On peut aussi ne pas trouver *les mots pour le dire*, d'autant plus qu'au tout début d'une thérapie, les adultes tout comme les enfants censurent leurs propos. Ils ne connaissent pas le thérapeute, ne peuvent pas deviner ses valeurs et craignent son jugement, surtout si ce qu'ils ont à dire est lourd ou particulièrement délicat.

Sans dévoiler les détails ni les raisons exactes pour lesquelles les gens ont consulté, nous allons parcourir les grandes lignes ou les moments forts d'une dizaine de cas de thérapie, enfants et adultes.

Bébé dinosaure

Une table rectangulaire est appuyée au mur, autour il y a trois chaises. L'enfant est assis au centre, le thérapeute est à sa droite, le parent à sa gauche ; c'est la première rencontre. Une feuille blanche est placée devant l'enfant qui est invité à choisir des crayons de couleur. Tandis que les adultes discutent, le profil d'un dinosaure commence à apparaître sur la feuille. L'enfant poursuit son dessin et finit par ajouter une bouche immense toute grande ouverte, tournée vers la gauche, du côté de sa mère.

« Il ne peut pas supporter, dit Pierre, que sa mère dévoile quelque chose qui vient de leur intimité ; sa pudeur est heurtée et il ressent de la rage. Il voudrait bien reprendre le contrôle de la situation et faire taire maman. Le dessin a immédiatement dévoilé ce que l'enfant n'aurait peut-être pas pu exprimer ; il a permis de déceler, dès le départ, comment l'enfant vit les premiers instants de l'intervention. »

La phobie des hauteurs

Un jeune garçon, en plus de montrer d'importantes difficultés de développement, a la phobie des hauteurs, particulièrement celle des escaliers.

Pierre lui fait dessiner sa maison et une première marche. D'une rencontre à l'autre, l'enfant ajoute une marche, puis deux ou trois, selon le nombre de marches gravies sans trop de crainte pendant la semaine. Avec le temps, cet exercice, en plus d'être extrêmement motivant pour l'ensemble de sa thérapie, a permis au garçon de s'affranchir de sa phobie. L'ensemble du travail entrepris a relancé l'émancipation de l'enfant.

Chefs de gangs et ceinture noire

Bien des enfants en cours de thérapie, particulièrement des garçons, expriment dans leurs créations plastiques des univers où ils sont, par exemple, des chefs de bandes internationales, ou encore des détenteurs d'une ceinture noire en karaté ; c'est souvent une manière d'exprimer qu'ils ont une situation bien en main et qu'ils n'ont pas peur des autres. Souvent, après vérification auprès des responsables des différentes écoles, il n'est pas rare d'apprendre que ces enfants sont victimes de divers harcèlements. Le thérapeute ne tente pas de leur faire comprendre qu'ils ne sont pas ceinture noire ou chef de gang, il tente plutôt de déceler les raisons qui les poussent à le croire ou à l'affirmer. Ainsi, au cours des séances, à l'aide de l'expression plastique, ces enfants sont amenés à exprimer comment ils voient le monde. Dans bien des cas, ils arrivent à se dégager des représentations premières et, ce faisant, ils donnent accès aux raisons et aux craintes qui les concernent de plus près. Cet accès à leur monde se fait progressivement, en douceur et sans les confronter.

Le flou des frontières entre l'imaginaire et le monde réel

Il y a des cas très graves où des enfants s'expriment dans un mode de nature psychotique. Dans leurs créations plastiques et les histoires qu'ils racontent, on comprend que les frontières sont floues ou inexistantes entre l'imaginaire et le monde réel, ils ne font pas vraiment la différence. « C'est important d'agir aussitôt qu'on s'en aperçoit ou qu'on se doute de quelque chose, car si on n'intervient pas, avec l'âge, le problème peut s'amplifier, allant jusqu'à la schizoïdie ou la schizophrénie, caractérisées par le repli sur soi et la désagrégation psychique. »

Ces enfants racontent leurs peurs ou leurs expériences douloureuses de manière symbolique ou inventent une histoire en attribuant aux événements des causes fantastiques; par exemple, des monstres et des météorites sont responsables d'une fenêtre brisée ou d'un toit écroulé. Dans d'autres cas, les images peuvent témoigner de traits paranoïaques: ils dessinent des bases secrètes et affirment qu'on en trouve au sous-sol de l'école, où il y a une organisation souterraine, avec micros et monstres cachés. «Quand l'enfant explique tout ce qui se passe en utilisant constamment son imaginaire de manière extravagante et jamais en utilisant sa raison, pourrait-on dire, il peut être en train de se *désorganiser*. Ce qu'il faut, c'est recréer *un contenant*, un lieu où il est en sécurité et où il peut s'exprimer sans se sentir menacé ou jugé. C'est ce que *l'espace de rencontre* en art-thérapie vise à donner. »

L'espace de rencontre et le contenant en thérapie veulent dire tout autant: le lieu où l'enfant se rend pour sa thérapie, que la présence du thérapeute, son écoute et la manière dont il entrera dans l'histoire avec l'enfant. Ces éléments l'entourent, le rassurent et lui permettent d'être à l'aise pendant qu'il livre son expérience. Tranquillement, au fil des séances, à force d'en faire le tour, le réel finit par trouver un chemin, par s'infiltrer. L'enfant peut alors commencer à faire la différence entre l'imaginaire et la réalité et nommer ce qui lui fait réellement peur. Il peut trouver un sens à ce qu'il raconte ou dessine, il peut découvrir et arriver à nommer les émotions et les sentiments cachés derrière ses histoires et ses images.

L'empire contre-attaque!

Dans les cas où les parents sont séparés et où l'enfant doit faire la navette, si les conditions sont défavorables – négligence, solitude, déménagements fréquents entraînant des changements d'école et de milieu de vie –, l'enfant pourra s'isoler et éviter d'entrer en relation; il n'a pas assez de temps pour s'adapter et s'enraciner, alors il se retire. À la merci de la situation, sans contrôle ni pouvoir sur leur vie, ces enfants s'isolent, se bâtissent un petit univers, ou alors contre-attaquent.

On verra des enfants lire de manière continue, car ils trouvent dans la lecture un espace clos qui les protège, dans lequel ils peuvent prévenir et même prédire ce qui s'en vient. « Dans la lecture, ils sont bien, rien ne peut leur arriver physiquement, pas de surprises, pas de changements. » D'autres passent de longues heures devant l'ordinateur ou la télévision, en remplacement d'une relation, ou pour se protéger des confrontations. Ils peuvent très bien fonctionner à l'école, obtenir de bons résultats, être capables de tenir une conversation, mais l'aspect affectif de leur vie est en veilleuse ou bloqué. Un des indices de leur malaise : ils projettent beaucoup de colère sur les autres, enfants ou adultes. « Ces enfants sont généralement excessivement exigeants avec eux-mêmes et en réaction excessive face à l'autre. Ils ne communiquent pas réellement, ils réagissent et attaquent plutôt pour éviter d'être touchés en premier, car dans leur style de vie, ils sont confrontés quotidiennement, ils en ont plein les bras. »

Pendant une séance, un enfant dessine en silence. Pierre, placé à côté de lui, observe tout simplement son dessin. L'enfant entre subitement dans ses projections, le regarde et lance : « Je sais que je ne suis pas assez rapide, pourquoi tu me juges ? » Il attaque pour défendre son intimité, pour défendre la légitimité de sa présence, pour sauver son espace.

Les mains dans les plats, ensemble

Dans certains groupes de thérapie qui impliquent des activités communes entre parents et enfants, on instaure à l'avance les objectifs de la rencontre, on planifie et on structure les séances : durée, méthodes, matériel utilisé. Il peut s'agir de matériaux conventionnels ou non conventionnels, telle la farine qui permet de créer la pâte de sel pour le modelage. Parents et enfants se retrouvent alors les mains dans les mêmes plats, à manipuler ensemble la douce et légère texture de la farine qui peut rappeler et éveiller des souvenirs et expériences familiers : nourriture, poudre pour bébés, douceur de la peau. Ainsi, sur le plan sensoriel, des gains peuvent se faire.

« On est souvent trop verbal avec les enfants, il y a d'autres façons de créer un contact, de les rejoindre, de se rejoindre. Tout le langage de l'adulte et tout le sens des mots utilisés n'ont pas la même résonance pour l'enfant ; cet écart, on l'oublie trop souvent. De nombreux besoins peuvent être satisfaits sans passer par la parole. Le sentiment de sécurité, la confiance et l'amour peuvent être transmis par des soins, des rapprochements physiques et des activités variées. Malheureusement, il manque souvent dans les relations avec les enfants des moments passés en silence, où chacun est absorbé dans une tâche commune. Les échanges heureux et simples ne sont pas fréquents. »

Grandir

L'exemple suivant représente une intervention verbale et pratique, de courte durée, qui montre comment une jeune fille a été amenée à prendre une certaine distance et à voir une situation autrement. Dans ce genre de cas, il arrive aussi qu'on fasse dessiner l'histoire ou l'aventure en question.

Une adolescente de 14 ans est amoureuse d'un homme d'une quarantaine d'années. Évidemment, ça se passe mal chez elle : on n'accepte pas cette relation, on la lui reproche tout en augmentant les interdits. L'adolescente est révoltée et ne voit pas les problèmes ni les enjeux. Le thérapeute essaie de « crever sa bulle » non pas en lui faisant la morale ni en tentant de la raisonner, mais en lui permettant de venir à la raison. Il a ouvert la discussion avec elle de cette manière : « Bon, très bien, discutons. Tu aimes cet homme ? Oui. D'accord. Explique-moi maintenant

comment tu vas faire, comment cette relation peut fonctionner. Iras-tu chez lui ? Non. Il est marié. Veux-tu que sa femme
sache que tu as une relation avec lui ? Non. Je ne voudrais pas
déranger son ménage, je connais sa femme, elle est gentille… »
Au bout d'un moment, l'adolescente a fini par dire : « Ç'a pas de
bon sens, mon affaire ! »

Le petit bonhomme en allumettes

Une jeune femme d'une trentaine d'années souffre depuis très
longtemps d'une difficile relation avec son père ; elle est extrêmement agressive et critique envers lui. Lors d'une séance où
elle utilise des petits bonshommes pour illustrer son sentiment,
un geste maladroit, inattendu dans le dessin est venu faire toute
la différence. En se représentant, elle décide de se dessiner trois
jambes : deux jambes bien appuyées au sol pour ne pas tomber
et une troisième pour frapper son père, le petit bonhomme d'à
côté. La manière dont elle a dessiné le fameux pied de cette
jambe qui veut frapper évoque plutôt une main au bout d'un
bras, une main qui prend naissance dans son ventre. Le petit
bonhomme donne l'impression de tendre la main.

« Cette image l'a immédiatement bouleversée, dit Pierre, et
lui a montré que derrière sa colère, sa presque haine, il y avait le
manque de son père. » Un tout petit dessin de bonhomme en
allumettes, pas anodin du tout, est venu la surprendre et lui a
permis de voir bien autrement sa difficulté et son sentiment.

Étouffer

Une femme vit une relation amoureuse difficile dans laquelle
elle se sent étouffée. Elle ressasse et questionne sa situation depuis
très longtemps sans trouver d'issue ou de solution. Au cours
des séances, elle fait quelques dessins et du modelage, elle manipule, ou plutôt, martèle l'argile pour se défouler. Dans un dessin particulier, tout est rapproché, fusionné, « la création ne

respire pas, ça saute aux yeux». Pierre lui propose alors de reprendre ce même dessin et de l'aborder autrement. Il lui suggère de laisser plus d'espace entre les éléments, de les éloigner l'un de l'autre pour mieux les harmoniser. La femme reprend, en suivant les suggestions. En la faisant agir volontairement et consciemment sur sa création, il la fait agir en retour sur elle-même. «Avec le temps, l'art-thérapeute voit bien la signature ou le style de son client» qui, du même coup, montre des aspects de sa personnalité. En intervenant lentement et directement dans l'activité artistique même, la femme a avancé en elle-même et dans sa propre histoire. Elle a avancé d'une manière que le langage verbal n'avait pas permis jusque-là. L'art a été ici mis à profit dans ses qualités propres de création, d'exploration et d'expansion.

À chaudes larmes

Il arrive bien entendu que le client adulte, une fois installé à la table, ne sache pas trop par quel bout commencer; rien ne lui vient spontanément à l'esprit, ou dans les mains. Il amorce tranquillement, les couleurs et les formes finissent par s'enchaîner. Il peut ensuite apercevoir quelque chose sur la feuille, un trait particulier, une ambiance ou une image concrète qui le renvoie à un événement ou à un sentiment précis.

Ces moments de révélation sont parfois difficiles à supporter. Certaines personnes sont complètement abasourdies, d'autres pleurent ou même éclatent en sanglots, car les raccords sont troublants. «Des situations comme celles-là permettent cependant une grande ouverture en soi.» Le client peut vivre un moment privilégié où il voit enfin un peu plus clair, de la même manière que l'air apparaît nettoyé après un orage d'été. Une chose s'est manifestée, il a pu la voir et la comprendre.

La fin d'une union de 27 années

Lors d'une première séance d'art-thérapie, après avoir un peu expliqué son histoire, raconté son chagrin et le sentiment d'abandon profond qui subsistait, une femme s'installe à la table pour rendre ce dessin.

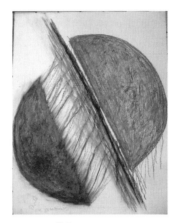

Séparation

Il y a un moment déjà que son union est terminée quand cette femme consulte. Au début de sa séparation, elle s'est sentie d'attaque et a pu entrevoir un nouveau projet de vie, mais au bout de quelques mois, sa motivation s'est effritée. Elle a d'abord participé à des ateliers d'activités artistiques en groupe. Avec le temps, ne sentant pas qu'elle partageait suffisamment d'affinités avec celui-ci, elle a entrepris une démarche personnelle. «Jusqu'à ce que je vienne en thérapie, dit-elle, je crois que ma vie a été une longue suite d'histoires tristes et de drames. Je ne fais que commencer à toucher à la joie, je ne peux pas encore dire *ma joie.*» À vingt ans, elle avait le sentiment qu'il lui manquait quelque chose pour faire sa vie. Quand son union s'est terminée, elle a retrouvé un sentiment semblable à celui-là, il lui manquait une certaine force ou une conviction pour continuer à vivre.

En creusant davantage, en épluchant divers âges et événements, elle réussit à reconstituer quelques moments clés, comme ce jour où la maison familiale a brûlé. Elle a quatre ans. Les adultes, affolés et inquiets, n'ont rien expliqué. Ils avaient tout perdu et, pour diverses raisons, ont pris la décision de changer de région. «Cette première perte de repères, dit Pierre, est encore significative pour elle. Plus tard, à l'adolescence, en tant qu'aînée de la famille, elle est devenue le bras droit de sa mère. Ces gestes quotidiens portés vers ses sœurs et ses frères, ces responsabilités importantes, lui ont laissé peu de temps pour se construire, pour sentir qu'elle avait une existence bien à elle. Être tournée sans relâche vers les autres, à un si jeune âge, peut finir par créer un problème d'identité et d'autonomie qui perdure jusque dans la vie adulte.»

«Je cherchais quelqu'un de sensible qui ne me jugerait pas dans mes besoins ni dans mes drames, avoue-t-elle. Quand je dessine, je vois bien ce que je fais, mais quand Pierre me fait avancer dans mon dessin soit en discutant, soit en me demandant d'élaborer dans une certaine direction, je comprends encore davantage ce que je vis et ce que je suis en train de travailler à l'intérieur de moi.»

«L'enfant à qui on n'explique pas un drame, dit Pierre, se demandera si le drame est de sa faute. Face à un manque d'explications appropriées, il y aura perte de repères. Ce sentiment de solitude et d'abandon peut se perpétuer dans la vie adulte. Chaque rupture peut laisser dans un état de fragilité important qui nécessite soutien et intervention thérapeutique. Le travail entrepris est un pas qui permet qu'on ne s'abandonne pas soi-même… Qu'on retrouve ou qu'on trouve enfin assez de confiance pour s'occuper de soi.»

Le partage des tâches en art-thérapie

«Le client est un cochercheur, précise Pierre, c'est lui qui connaît le mieux l'histoire de sa vie et c'est lui qui a vécu le traumatisme qui l'amène en thérapie. Dans une approche humaniste d'orientation phénoménologique (phénomène, événement), l'expert c'est lui, et c'est lui qui travaille sur son problème.» Le thérapeute, de son côté, est en charge du lieu, de l'espace dans lequel l'histoire se raconte, en paroles ou en dessins. L'ambiance est cruciale, la personne qui arrive doit ressentir que l'espace a été réfléchi et organisé pour l'accueillir.

«En termes de développement personnel, beaucoup d'adultes ne font pas grand-chose; donc, pour certains, l'art-thérapie est un événement tout neuf qui les concerne profondément. Pendant ou après leur thérapie, plusieurs sentent le besoin de recréer chez eux un espace d'expression. Ils se procurent une table de travail, du matériel d'art et installent leur petit coin de création. Ils s'approprient le processus, ils intègrent le jeu à leur vie, ils génèrent du neuf et continuent ainsi à s'occuper d'eux-mêmes d'une manière plus intime.»

La régression

L'art-thérapie facilite la régression, c'est-à-dire le retour vers l'intérieur, le retour dans le temps, vers les années de l'enfance ou de l'adolescence, même plus loin encore, penseront certains. Par sa nature même, elle propose l'abandon, donc une diminution des défenses. La régression et l'abandon permettent de transférer ce qu'on ressent consciemment ou inconsciemment sur le papier ou la toile. Un espace s'ouvre, le masque du visage tombe, car, en ces instants, il n'est pas nécessaire.

Le transfert

En pleine rencontre, il arrive que l'enfant ou l'adulte ressentent de la colère, voire de la rage, et ils peuvent la transférer sur le thérapeute qui, tout à coup, représente ou rappelle les figures parentales, père et mère ou tout autre adulte. Une délicate situation que le thérapeute choisira de désamorcer ou de prolonger selon les besoins. Il en est de même pour les transferts plus positifs; il n'est pas rare que le thérapeute représente un havre, un sauveur, un être affectueux. Là encore, des transferts importants peuvent avoir lieu. Le thérapeute allège le fardeau, porte une partie de l'histoire.

L'art-thérapeute offre un cadre et un lieu où enfants et adultes peuvent sans crainte, ou avec moins de crainte, laisser tomber les défenses, les censures, et se révéler sans être confrontés ou condamnés par quelqu'un qui souffre autant qu'eux, comme c'est souvent le cas dans la vie.

Sur le plan de l'équilibre mental, plus une personne a accès à des modes de pensées variés, meilleur sera son équilibre car elle aura une meilleure capacité à faire face à des problèmes. «Quand une personne vient en thérapie, elle a généralement utilisé tous les moyens à sa disposition pour résoudre un problème, et ce sont généralement toujours les mêmes moyens. Donc, cette personne se retrouve face à un mur. En thérapie, on tente de regarder dans des directions neuves. On essaie de voir autrement, d'où le recours particulier à l'art et à ses vertus. »

Dernier cas: un insoutenable chagrin d'amour

Après la rupture d'une relation amoureuse, une jeune femme sombre dans un chagrin sans fin. Elle ne veut plus sortir, elle dort toute la journée et ne s'alimente pas. Le temps passe, le tout va s'amplifiant et lui cause la perte de son emploi. Ses amies sont très inquiètes, et, contre son gré, l'emmènent à l'hôpital. La femme est dans un état de dépression majeur et suicidaire;

elle est accueillie en psychiatrie. Elle reçoit le traitement et les médicaments indiqués, mais chaque tentative ultérieure de percer son chagrin et de la faire parler de sa peine échoue. La seule chose qui la sort un peu d'elle-même, c'est la présence des autres patients : elle leur rend visite et répète qu'elle veut devenir infirmière. Au bout d'un moment, les soignants – psychiatre, infirmière et psychologue – s'inquiètent car ils jugent que leur patiente demeure suicidaire. Ils envisagent donc la possibilité de la diriger vers une unité de soins pour les cas lourds, mais avant, ils lui proposent des séances d'art-thérapie, qu'elle accepte immédiatement, sans autre façon.

« C'est une femme un peu clivée, précise Pierre, qui, lorsqu'elle ne touche pas à l'émotion de sa peine, peut être joyeuse et pleine d'humour ; c'est ainsi qu'on la voit dans les salles de séjour en compagnie des autres patients. Lorsqu'elle se pointe au local d'art-thérapie, elle devient différente, silencieuse. » En revanche, il s'est aperçu au bout d'un moment qu'elle l'attendait.

Au début, après les salutations d'usage, la femme garde le silence, dessine tranquillement, essuie quelques larmes, puis se lève tout simplement et part. D'une fois à l'autre, elle reste un peu plus longtemps et finit par parler de ses rêves, de son travail et des études qu'elle veut entreprendre. Ses créations sont remplies de paix et de sérénité. Les images sont sensiblement les mêmes, on y retrouve un soleil radieux, un arc-en-ciel et deux arbres. Pierre décide de ne pas interpréter ses dessins, ni de les décoder, car, à première vue, il pourrait sembler qu'elle vit une sorte de déni de son chagrin. Il préfère attendre, en offrant tout simplement un contenant tranquille. Il rapporte à ses collègues que la femme profite réellement de l'espace de la rencontre, qu'elle est attentive, absorbée, bien que ses dessins apparaissent contradictoires avec son chagrin. Les semaines passent. La jeune femme est de plus en plus à l'aise et, un jour, son dessin est transformé. Le soleil et l'arc-en-ciel sont toujours là, mais il n'y a plus qu'un seul arbre dans son dessin au lieu de deux. Ce jour-là, elle lui a expliqué de vive voix que dans le parc face à leur maison, il y avait deux arbres côte à côte et que ceux-ci, solidement enracinés, avaient symbolisé leur union et leur amour. L'arbre unique, « c'était maintenant elle toute seule dans sa vie ».

Une thérapie verbale ne pouvait servir cette femme, elle n'avait rien à dire. Il fallait qu'elle soit rassurée et que le temps passe. Après son séjour à l'hôpital, la jeune femme est allée vivre dans sa famille pendant un certain temps et a continué à fréquenter les services de jour de l'hôpital, ce qui a permis de préserver ses acquis. Elle fut, plus tard, en mesure de reprendre ses activités.

« Par la métaphore, une première image vient montrer comment on se sent, ce qui est au cœur de soi. Une seconde image pourra servir de phare, représenter une projection, une idéalisation, là où on veut se rendre. Il n'est pas toujours possible de se rendre là où on veut aller, la destination peut être hors de portée ou impossible. La thérapie, c'est ce qui se passe entre ces deux images, murmure Pierre. L'art est moins confrontant, il tient le rôle du tiers et il est plus proche de l'inconscient. En art-thérapie, le client amène beaucoup de matières sur la table. »

En plus de ses études et travaux, Pierre est musicien ; le piano a fini par remplacer la batterie, plus facile à intégrer dans une vie familiale. Cet atout additionnel a contribué à sa réflexion de thérapeute, il sait « ce que représente jouer en groupe, suivre le rythme, chercher l'harmonie, reconnaître la place et la valeur que chaque instrument occupe. »

Cette connaissance n'est pas étrangère à son désir d'impliquer parents et enfants. Il a mis à l'épreuve, au centre, un programme de thérapie en dyades composées de cinq parents et de cinq enfants. Cette étude pratique, touchant des enfants d'âge préscolaire, s'est étalée sur dix rencontres hebdomadaires, au cours desquelles activités créatives et projets communs se sont poursuivis. Ces rendez-vous visent à offrir un lieu où l'enfant et le parent peuvent être ensemble en dehors de la famille et des obligations habituelles. Ils se voient sous un autre jour et font des choses nouvelles. Lors des entrevues préliminaires, chaque parent a été invité à percevoir les difficultés autrement, à savoir que les problèmes ne se trouvent pas nécessairement chez l'un ou chez l'autre, mais bien entre eux, et que parents et enfants peuvent s'investir ensemble.

Un des nombreux exercices va comme suit: le parent présent, la mère plus souvent que le père, applique une pâte sur le visage de son enfant. Lentement, par petites touches, elle parcourt chaque recoin du visage, geste qu'elle n'a peut-être pas fait depuis longtemps. La pâte durcie, le masque est créé, on le retire et l'enfant doit ensuite le peindre.

Les parents sont abasourdis: l'enfant peut véritablement créer, il a un monde à proposer; ses choix, simplement par les couleurs qu'il préfère, montrent qu'il n'est pas comme eux, qu'il a une vie propre, et que celle-ci, on doit la découvrir et la laisser jaillir. De son côté, l'enfant chérit ces deux heures passées auprès d'un de ses parents à jouer et à parler; au mieux, à rire.

Sentir

Lors de ma première rencontre avec Pierre, je lui ai demandé de me faire vivre un exercice tout simple qui me mettrait en piste. Sur une feuille de papier ordinaire, placée entre nous tel un court de tennis, à tour de rôle nous avons tracé des lignes. À l'aide d'un feutre noir, Pierre a tracé une première ligne, je l'ai prolongée avec un feutre bleu. Il a continué ma ligne, j'ai repris la sienne, et ainsi de suite jusqu'à ce qu'une bonne partie de la surface soit couverte. Le papier s'est rempli de parcours sinueux, de boucles et de croix. « On peut s'arrêter, dit-il, au bout d'un moment, c'est bon… » Il utilise cet exercice à l'occasion, pour voir un peu à l'avance la manière dont la personne qui consulte entre en contact et, ainsi, s'ajuster à elle. Aussitôt que nous avons commencé à tracer les lignes, j'ai senti un espace s'ouvrir en moi et j'ai suivi sans rien questionner, comme une enfant heureuse et intriguée qu'on entraîne dans un jeu. Ces quelques instants m'ont dit combien la responsabilité d'un thérapeute ou d'un analyste est grande, surtout s'il a devant lui un être souffrant qui lui fait confiance.

Un espace lumineux comme une prairie d'été, malléable comme une mie de pain s'est ouvert. Je l'ai reconnu, il m'était familier, mais il a fallu me rendre à l'évidence, je ne l'avais pas visité aussi profondément depuis longtemps. C'est sans doute à partir de cette prairie que l'enfant est blessé si on l'agresse ou le trompe. Et plus tard, l'adulte. Infini pays.

***

« Les dessins des enfants ressemblent à tous les dessins d'enfants, me dit Pierre, on y trouve les éléments qui font partie de leur monde télévisuel et cinématographique d'aujourd'hui. Ce qui fait la différence, c'est ce que l'enfant finit par dire de son dessin et de sa vie, en plus de ce que le thérapeute perçoit. » Dans un cas récent, une enfant dessinait sans relâche des cœurs. Tout semblait pour le mieux, mais les crises à la maison étaient fréquentes. On a mis du temps à comprendre ce qui ce cachait derrière les cœurs. Ce qu'on lui avait fait comprendre des gestes qu'on la forçait à poser… non, ce n'était pas de l'amour. »

Pour ces enfances douloureuses, agressées, pour toutes celles et tous ceux qui ne pourraient répondre facilement à la question du bienheureux paradis perdu de l'enfance, car elles et ils ne peuvent oublier larmes et souffrances, voici en cadeau les mots d'une chanson de l'auteure, compositeure et interprète Francine Christie, *Légitime défense*.

Tout quitter était un mal nécessaire
en perdant tout, elle trouva la clef du mystère
dans la tempête et dans la brousse
seule elle marchait à l'envers
le cœur bafoué par les âmes perverses.

Elle avançait résolument dans un nouveau présent
avait payé assez souvent les dettes des vautours
avait donné sans le savoir des perles aux porcs des alentours
je ne vais pas trop vous en parler
il ne faut rien livrer aux voleurs de pensées.

On lui avait dit de se taire, on l'a battue on l'a violée
on l'a laissée pour morte par terre
crucifiée, abandonnée, jamais aimée de père et de mère
partout elle a payé l'entrée, a travaillé pour son salaire
petit salaire de misère depuis le début de ses jours
interdite de séjour.

Elle est plus forte que la violence
elle est plus grande que les nantis, les gâtés de la vie
les petits rois, les petites reines qui sucent le sang à la chaîne
survivante de l'indigence, vous lui parlez de résilience
moi, je vous parle de défense
légitime défense légitime défense.

Elle apprend à rendre les coups
«Vous ne toucherez plus aux trésors qui habitent mon âme et
mon corps»
elle a appris à reconnaître dans vos yeux vos jeux malhonnêtes
elle sait qu'on adore les agneaux en leur faisant griller la peau
devenue louve gare à vos os
elle vous mordra s'il le faut
la riposte est un mal nécessaire
légitime défense, légitime défense, légitime.

À vous qui lui avez tant pris, faisant mine de lui donner
n'attendez plus qu'elle vous serve de déjeuner
«Allez-vous-en quitter mes terres, ici je suis propriétaire.»
Légitime, légitime légitime.

« Oublier, en fait, est normal et nécessaire… afin de faire de la place dans notre conscience à de nouvelles impressions, de nouvelles idées. Si cet oubli ne se produit pas, toute notre expérience resterait au-dessus du seuil de conscience, et notre esprit s'en trouverait encombré jusqu'à ne plus le supporter. Cependant, de même que les contenus conscients de notre esprit peuvent disparaître dans l'inconscient, de nouveaux contenus qui n'ont jamais encore été conscients peuvent en émerger. On peut avoir l'impression, par exemple, que quelque chose est sur le point de faire irruption dans la conscience, qu'il "y a quelque chose dans l'air" ou "anguille sous roche". La découverte que l'inconscient n'est pas seulement le simple dépositaire de notre passé, mais aussi rempli de germes de situations psychiques et d'idées à venir, a déterminé la nouveauté de ma propre attitude à l'égard de la psychologie. Il y a un grand nombre de controverses à ce propos. Mais il est de fait que, outre les souvenirs d'un passé lointain qui fut conscient, des idées neuves et créatrices peuvent aussi surgir de l'inconscient, idées qui n'ont jamais été conscientes précédemment. Elles naissent des profondeurs obscures de notre esprit comme un lotus et constituent une partie très importante de la psyché subliminale[11]. »

Carl Gustav Jung, L'homme et ses symboles

---

11. Carl Gustav Jung, *L'homme et ses symboles*, Paris, Robert Laffont, 1964, p. 37.

Horizons de la psychanalyse
Entretien avec Françoise Cloutier

Du côté de Jung et de soi

« Le processus d'individuation est une pulsion naturelle, légitime. Nous voulons et nous devons nous accomplir selon notre héritage humain propre », dit Françoise doucement.

— Qu'est-ce qui rend ce processus difficile ?

— Le manque d'apprentissage approprié, le manque d'attention à notre vie intérieure ; puis les blessures qui s'accumulent : personnelles, familiales, voire collectives.

— Qu'est-ce qui aide ?

— La quête et la découverte de qui nous sommes et de nos capacités ; l'éveil de nos ressources émotives, physiques et spirituelles.

— Pourquoi est-ce si difficile d'être en contact avec nos besoins ou nos talents réels ?

— Parce que souvent ils dorment enfouis, refoulés… Aussi parce que nous avons peur de notre potentiel et de l'inconnu.

— Pourquoi l'art apparaît-il comme un moyen de se dire ?

— Avec l'art, nous pénétrons l'imaginaire, l'univers onirique, le dynamisme créateur et évocateur des formes. Nous avons donc un accès possible à plus grand que d'habitude… L'art nous sollicite à plusieurs niveaux, et, tout comme le rêve, l'art est une fenêtre ouverte sur l'inconscient.

Les rencontres avec Françoise ont été enrichissantes et nombreuses. Il est difficile de faire ici le partage des propos de l'une ou de l'autre. L'ordre, les enchaînements et les sentis sont partagés, la science est sienne.

Apprentissage et refoulement

Nous naissons avec notre sensibilité propre dans un milieu donné, avec ses lois, ses principes et ses manières de vivre qui seront plus ou moins propices à notre épanouissement. À travers les jeux et les découvertes, nous apprenons aussi des règles, dont certaines sont nécessaires à notre bien-être et à notre protection, d'autres moins.

Dans nos éducations modernes, en Occident, la première place est généralement occupée par le rationnel, par ce qui est observable, prouvé et vérifiable ; c'est très utile, mais l'humain entier est autre chose que cela. Ainsi, ce qui est valorisé dans l'éducation, comme ailleurs, pousse à choisir certains comportements plutôt que d'autres et nous oblige souvent à refouler ce que nous ressentons vraiment. Nous refoulons beaucoup nos instincts, notre côté enjoué, irrationnel, inventif, voire poétique. Avec le temps, si la part de rêve et la part d'imaginaire ne sont pas encouragées ni maintenues, nous pouvons nous sentir coupés de notre monde magique ; ce lien faisant défaut, l'accès à l'inconscient devient difficile.

Dans l'inconscient se trouve tout ce que nous avons vécu et capté, même sans nous en rendre compte. Se trouvent aussi, entassés, le meilleur de nous-mêmes, nos rêves, talents et aspirations et tout ce qu'on n'a pas osé. L'inconscient est à la base même de notre pulsion de vivre, il est notre lien avec le lointain passé humain, tout à la fois caverne, puits et grenier. Il ne s'agira jamais d'exprimer en totalité ce qui nous habite, certaines choses demeureront silencieuses, d'autres ne se développeront pas, mais d'autres encore voudront se dire et il sera nécessaire de leur laisser une place.

Notre ego, ou notre personnalité, avec ses caractéristiques et ses ressources habituelles, oriente, choisit, décide, mais il ne suffit pas toujours à nous sortir du pétrin. En accédant à une part de notre inconscient, nous accédons à une partie de notre histoire réelle, à la vérité sur nous-mêmes. Face à des obstacles et dans la souffrance, quand on accède à cette information, on se comprend davantage et s'ajoute un second bénéfice : les nœuds intérieurs se défont un peu et on ressent une sorte de paix. Une fois en lien avec une plus grande partie de notre histoire et avec ce qui nous tiraille sans qu'on s'en rende vraiment compte, on peut plus facilement prendre une décision et procéder à un changement significatif, à tout le moins intérieurement.

Il y a beaucoup de souffrance dans une vie. Souffrir sans savoir pourquoi est difficile. Trouver un sens à sa souffrance, quelques explications, permet de l'aborder différemment, de modifier notre attitude et de générer une énergie nouvelle.

Dépression et manque d'énergie

Dans sa réflexion concernant le manque de motivation et d'énergie, Jung a posé l'hypothèse suivante : chaque être humain possède une certaine quantité d'énergie psychique, une sorte de destinée psychique avec ses caractéristiques quantitatives et qualitatives. Quand l'énergie manque, on peut donc se demander : où est passée l'énergie ? Jung répond : elle est sûrement dans l'inconscient. Qu'est-ce qui la retient et comment en retrouver la trace ? Jung propose de tenter d'accéder à l'émotion !

La dépression provient généralement d'émotions refoulées, et, en période de déprime, nous refoulons nos émotions ! Il faut donc agir sur la déprime en nous permettant au moins d'exprimer la tristesse que nous ressentons. Éventuellement, nous pourrons aussi exprimer la colère et la frustration, qui, généralement, sont au fond d'une déprime.

La dépression se présente par un manque d'intérêt ou de motivation. On peut avoir perdu l'appétit ou manger sans plaisir. Avoir perdu le sommeil ou avoir une grande difficulté à se concentrer. On peut dire que la dépression est un manque d'amour pour soi.

Les contraintes sont à la base d'émotions non exprimées. Il peut s'agir de situations sans issue, sur lesquelles nous n'avons aucun pouvoir, par exemple un parent décédé, ou absent, ou bien un amour à sens unique ; ressentir de l'amour sans pouvoir l'exprimer amène une grande souffrance. En ne pouvant nous exprimer, nous accumulons et, avec le temps, se pointent les grosses déprimes.

L'expression de la tristesse n'est pas toujours bien accueillie, elle est même dévalorisée. Nous devons sourire, être de bonne humeur, nous amuser, profiter de la vie, elle est si courte, entend-on souvent. On entend rarement : « Tu es triste ? Vis donc ta tristesse ! Pleure donc sur mon épaule, raconte-moi. » On se fait offrir jugement et solution, bousculade et échéancier… Faut que d'ici le printemps… d'ici deux mois…

Nos sommes incités à « performer » sans relâche, comme des dieux. Dans cette équation, on s'attend également à ce que l'autre, les autres soient des héros. Il faudrait plutôt se donner le temps d'être humain, ordinaire, naturel. Nos moments de souffrance et de vulnérabilité, tout comme nos besoins de solitude et de réflexion, sont nos cycles et nos saisons, ils font partie de nous. On ne peut pas s'en débarrasser une fois pour toutes, ce n'est pas indiqué et ce serait une illusion. Il s'agit plutôt d'intégrer ces états et de reconnaître leur légitimité. On s'agresse en ne se permettant pas de vivre des tristesses et on se meurtrit davantage. Si les dépressions étaient bien vécues, nous n'aurions pas à en parler de manière pathologique. Si les dépressions étaient accueillies et perçues comme naturelles, nous pourrions les vivre de manière moins destructrice, nous pourrions mieux les intégrer, *mieux se reposer dedans.*

En acceptant cette partie de notre nature, nous permettons à des choses de mourir, nous faisons de la place pour que quelque chose d'autre renaisse ou émerge. Quand vient le temps de remonter la pente, il est bon de chercher une nouvelle satisfaction, car la tristesse et la dépression peuvent aussi être issues d'un manque de satisfaction.

La fonction transcendante, ou la troisième solution

La plupart de nos conflits intérieurs naissent d'une tension entre deux éléments qui nous apparaissent opposés. Par exemple, j'ai envie d'aller vivre avec mon amoureux, mais il me presse, il veut que ça se fasse tout de suite. Je suis introvertie, j'aime prendre mon temps, j'aime faire les choses lentement, je vis donc cette situation comme un conflit intérieur. Une fois identifiées les forces qui s'opposent, il faut ensuite trouver le moyen de tenir cette tension suffisamment longtemps pour permettre à l'inconscient de proposer une autre solution.

Cette solution, dit Jung, se manifestera sous forme d'un symbole. On aura une vision à l'état de veille, on verra une image en rêve ou on se retrouvera face à quelque chose qui nous procurera un déclic ; c'est ce qu'il a appelé la *fonction transcendante*. On transcende le conflit intérieur en trouvant une troisième solution ; ce processus est inconscient. L'ego doit lâcher prise et laisser advenir, mais le temps d'attente doit être utilisé de manière consciente, nous devons faire la différence entre une vaine attente et une attente réelle, créatrice et disponible à une solution nouvelle. L'essentiel est de définir le conflit, de devenir conscient des pôles qui s'opposent. Parfois, cette prise de conscience atténue le conflit, parfois non. Il faut avoir confiance, l'inconscient enverra une troisième solution. La sagesse populaire disait « le temps arrange bien les choses »…

Manifestation de l'inconscient dans un rêve

Le contenu de nos rêves provient en partie de notre conscient et en partie de notre inconscient. En psychanalyse junguienne, le contenu et les images des rêves sont les outils privilégiés pour éclairer les pistes. Voici l'exemple d'un cas réel où l'inconscient renvoie en rêve une souffrance ancienne, toujours active.

L'homme qui consulte a un peu plus de quarante ans et il est célibataire. D'habiles investissements lui ont procuré une vie matérielle enviable, et, au lieu de continuer à façonner sa carrière ou toute autre activité qui lui tient à cœur, il s'est en quelque sorte retiré du monde. Ce retrait a créé un vide en lui, il erre, s'ennuie et ne trouve plus de motivation pour continuer. De plus, il avoue se sentir agressif envers les femmes sans trop savoir pourquoi.

Au cours de l'analyse qui dure quelques mois, il parle de rêves récurrents où les enfants ont généralement huit ans. D'une rencontre à l'autre, il tente de se rappeler un événement important vécu à cet âge-là, mais il n'y arrive pas; rien de significatif n'apparaît. Le temps passe, l'analyse continue. Vient le moment de discuter de certains aspects propres à son identité masculine. Il a grandi seul avec sa mère; son père, qui a quitté le foyer alors qu'il était enfant, n'a pas été présent dans sa vie. Son éducation, plutôt traditionnelle, fut sans éclat et il a grandi entouré de femmes qui étaient attentives à ses besoins, quoique peu démonstratives. Au cours d'un échange, alors que ces aspects étaient mis en lumière, dans un éclair, il s'est souvenu que ses deux grands-pères sont décédés au cours de la même année alors qu'il avait huit ans.

Cet homme n'a pas reçu d'orientation quant à la manière positive d'être dans le monde, il ne sait pas comment y être. Son père n'a pas joué son rôle de *passeur* et la perte de ses deux grands-pères, qui n'ont pas pu compenser, est venue cristalliser ce manque dès l'enfance. Cette expérience concrète et sans issue a engendré un complexe, à travers lequel l'homme a gravité, solitaire, jusqu'à quarante ans. Il ne pouvait plus continuer son émancipation sans désencombrer ce carrefour.

En plus de la protection, un des rôles du père est d'aider l'enfant, fille et garçon, à avoir suffisamment confiance en lui-même pour aller vers le monde, pour s'intégrer à la société; ainsi, on accorde au père, à l'homme, la fonction socialisante. Pour compléter cette notion des rôles et de leur valeur, précisons qu'on accorde à la mère, donc à la femme, la fonction aimante qui nourrit, protège aussi, contient et guide.

Les voix négatives empêchent de créer, de s'aventurer

L'inconscient se manifeste également à travers ce que nous appelons les voix intérieures. Lorsqu'on amorce un projet ou qu'on se met à créer, on entend parfois: « Pour qui tu te prends ? C'est pas assez bon … Ton travail n'est pas significatif… C'est rien d'original… Qu'est-ce que ça donne ? » Ces voix sont généralement reliées à notre histoire personnelle; ce sont les voix de l'éducation et de la culture, les voix des autres.

Ces voix, ou personnages intérieurs, nous habitent depuis longtemps et nous mènent généralement par le bout du nez. Elles arrivent à nous paralyser, nous empêchent d'explorer ou de trouver des solutions nouvelles; ainsi, nous demeurons dans les normes pour ne pas déborder. Ceci est sécurisant, mais peut mener à une sorte de vide et d'ennui profonds que rien n'arrive à chasser. Il nous faut comprendre d'où viennent ces voix, ce qu'elles représentent. Certaines voix négatives proviennent d'une source réellement nuisible, d'autres proviennent d'une source positive, par exemple d'un parent sincèrement préoccupé à nous protéger. Ces voix devront être transformées avant d'être intégrées à la personnalité; on pourra alors découvrir leur aspect positif et utiliser leur force pour continuer.

L'imagination active, ou le dialogue entre l'ego et l'inconscient

En psychanalyse junguienne, l'imagination active signifie le dialogue entre l'ego et une partie de l'inconscient. Lorsqu'une voix négative se fait entendre, on est d'abord porté à la faire taire en prononçant la phrase classique : «Je suis capable, je n'ai pas peur ! » On peut aussi s'arrêter et parler avec cette voix ; on pourra lui demander : « De quoi as-tu peur ? Qu'est-ce qui te manque pour être en mesure d'aborder ce projet ou pour faire face à cette situation ? » L'ego questionne, se tait et doit attendre la réponse. C'est très important que l'ego apprenne à lâcher prise et à laisser monter les réponses de l'inconscient.

Lorsque les voix sont reliées à des événements importants ou tragiques, en les confrontant, on peut sentir qu'on ne fait pas le poids, qu'elles sont plus fortes que nous. Il est de bon aloi de se familiariser avec le dialogue en étant accompagné par un thérapeute.

L'inconscient peut également s'exprimer par un malaise physique ; on pourra alors placer son attention sur le malaise, tenter de s'y lier, c'est une autre façon d'amorcer un dialogue. On peut aussi aller en imagination active avec un parent ou un ami décédé pour éclairer certains souvenirs.

Outre les voix négatives, nous avons aussi des parties positives qui se manifestent et se font entendre. Nous pouvons dialoguer de la même manière avec tout être positif qui apparaît dans nos rêves et dans notre imaginaire. Nous pouvons même demander à notre inconscient de nous montrer l'image d'un être bienfaisant susceptible de nous aider.

Créer

La pulsion de créer est tout à la fois attirante et inquiétante, car *le moi* s'expose à la critique. Le voilà sorti de son cadre habituel, vulnérable, disant: «Voici qui je suis, ce que je pense, ce que j'aime!» Lorsque nous sommes en harmonie avec nos voix intérieures, il est si bon de créer, c'est l'être en entier qui participe; ceci se situe bien au-delà de la volonté. La fameuse angoisse devant la toile blanche n'existe pas vraiment si les gestes sont spontanés. L'angoisse vient du fait que l'on veut contrôler avec l'ego ou qu'on se sent obligé de contrôler avec l'ego.

Quand on se sent vulnérable ou inquiet en abordant une surface vierge, pour se protéger de l'inconnu, pour se contenir, on peut faire un cercle à l'intérieur duquel dessiner. Les moments d'exercices spontanés, d'exercices de réchauffement, peuvent donner accès à la richesse de monde intérieur, pour notre plus grand plaisir et étonnement.

En psychanalyse, le dessin est parfois utilisé en complément de l'information obtenue par l'analyse des rêves. Lorsque les clients ne s'intéressent pas à l'art ou à l'activité artistique, ils expriment une réticence face au dessin; certains se sentent ridicules, d'autres sont gênés et n'arrivent pas à saisir qu'il ne s'agit aucunement d'une performance artistique et qu'il n'y a aucune exigence esthétique. Il faut faire quelques essais pour que les clients prennent généralement plaisir à l'exercice. Quel que soit le cas, on veille toujours à ce que la personnalité, ou l'ego, conserve son équilibre. Il faut éviter qu'une personne souffrante se désorganise, ait peur de se perdre, de devenir autre chose ou quelqu'un d'autre.

Le chaos

Plusieurs mythes et légendes de la création du monde partent d'un chaos, on pourrait dire d'une explosion des émotions, d'une perte de direction ou de sens. C'est l'avantage du chaos, il nous oblige à créer quelque chose de nouveau, à repartir dans un sens différent, à tout le moins un sens renouvelé. Quand le chaos se pointe dans notre vie, c'est l'annonce d'une mort symbolique, d'un changement à venir, le signe évident que quelque chose d'autre veut vivre, qu'on a besoin de vivre autre chose. On est arrivé au bout d'une partie du voyage, ce qu'on a connu ne tient plus la route, ne nous donne plus d'énergie, ne nous motive plus, ne nourrit plus la conscience, donc il faut créer quelque chose de nouveau pour se redonner de l'énergie. Tout en nous naît et meurt à chaque instant. Nous vivons à l'intérieur d'un intime chantier de construction avec des projets, des plans, des débris et des matériaux récemment acquis.

La prise de conscience est nécessaire pour évoluer, changer. Quand quelque chose n'est plus source de gratification, même minime, nous devons nous tourner vers autre chose.

***

Petit lexique

L'ego : la personnalité, l'identité, l'acquis, l'éducation et les connaissances ; les forces, les faiblesses et les valeurs.

L'inconscient personnel : l'héritage, les complexes, les richesses et les talents refoulés ; l'ombre, ce dont on n'a pas pris conscience, ce qu'on n'a pas développé, ce qui ne se développera pas.

L'inconscient collectif : la somme de l'histoire du développement humain.

***

Comme plusieurs psychanalystes junguiens, Françoise Cloutier a étudié à l'institut C. G. Jung de Zurich en Suisse. Là-bas, elle a eu la chance de vivre quelque temps chez une dame érudite, de très agréable compagnie, qui, dans son immense demeure, accueillait des étudiantes.

Au rez-de-chaussée, la maison offrait un immense salon où régnait un piano à queue. À l'étage, la chambre de Françoise, aménagée à l'ancienne, avec des meubles d'époque et ses deux balcons, donnait sur le jardin. À travers les arbres fruitiers, pommiers et cerisiers, on y voyait des talles de fleurs sauvages entretenues au même titre que les fleurs cultivées. Un conte de fées!

***

Que procure ce genre d'expérience, cet espace privilégié?

Une guérison extrême de l'archétype féminin. La *grande-mère* accueille la fille, la nourrit, la protège, lui enseigne aussi ce qu'elle sait du monde, l'invite d'une certaine manière à le pénétrer plus avant en lui montrant une manière d'y être, un bonheur d'y être… Ceci est vraiment propice à la création.

Nous sommes loin ici de la notion qui dit qu'il faut souffrir pour créer!

C'est un point de vue complexe, qui offre certainement plusieurs réponses. Ce qui est certain c'est que l'environnement est source de nourriture et qu'il est plus facile de créer lorsqu'on est nourri et rassuré. Si on a connu de grandes difficultés, une situation comme celle-là engendre un nouvel espoir, une nouvelle terre à cultiver en soi. On se sent rempli de gratitude et on a envie de redonner quand notre vie est facilitée et enrichie.

Le meilleur outil en analyse?

L'éveil de la psyché. La confiance en la psyché et en sa capacité de guérison.

Votre ressourcement?

Le travail lui-même. L'amitié, le partage, l'amour. La musique. Le silence.

Le paradis ?

C'est l'archétype de la grande harmonie, de l'union parfaite avec *le Créateur*, de l'union de nos composantes. Une des fonctions de notre inconscient est de générer des symboles, donc également des symboles religieux. Ce sentiment de la *présence* existe dans l'inconscient et lorsqu'on la ressent en soi, on se sent relié à plus grand. Il y a plus grand, nous n'avons qu'à lever la tête ! Quand on se sent relié en soi et autour de soi, on ne se sent plus seul au monde, les choses prennent une signification accrue, nous entrons dans une histoire, il y a un début, un déroulement, un futur… Ceci donne une signification à notre vie et l'enrichit.

Le contact avec l'inconscient mène à quoi ?

À rendre l'âme contente.

Qu'est-ce que l'âme ?

Notre relation personnelle à l'existence.

***

« On peut considérer le Soi comme un guide intérieur qui est distinct de la personnalité consciente, et qu'on ne peut saisir qu'à travers l'analyse de ses propres rêves. Et ces rêves nous le montrent comme le centre régulateur qui provoque une extension et une maturation croissante de la personnalité. Mais cet aspect plus riche, plus total de la psyché, n'est d'abord qu'une virtualité innée. Il peut n'émerger que très peu, ou au contraire se développer à peu près complètement au cours de l'existence. Et son degré de développement dépend de la bonne volonté que met le Moi à écouter les messages du Soi[12]. »

---

12. Marie Louise von Franz, *L'homme et ses symboles*, Paris, Robert Laffont, 1964, p. 162.

Pour compléter avec grâce les notions qui entourent la vie de l'âme et son lien avec le monde, notions que nous questionnons sans relâche, voici un autre extrait du *Yi King* qui en donne une saveur :

C'est la première heure du matin. Le travail commence. Après que l'âme s'est trouvée isolée du monde extérieur dans le sommeil, les relations avec le monde recommencent à s'établir. Les traces des impressions s'entrecroisent. L'activité et la hâte règnent. Il est alors important de conserver le recueillement intérieur et de ne pas se laisser emporter par l'agitation de la vie. Lorsqu'on est grave et recueilli, on parvient à la clarté nécessaire pour affronter les nombreuses impressions qui nous assaillent. C'est précisément au commencement qu'une telle gravité recueillie est importante, car le commencement contient les germes de tout ce qui viendra ensuite.

Hexagramme 30. *Li / Ce qui s'attache, le feu*

« En éveillant le cœur par l'art on touche le souffle, le souffle créateur. »

Rudolf Steiner

L'art et l'éducation

Introduction

Au cours de l'hiver 1998, juste après le verglas, tout à fait par hasard, j'ai assisté au congrès pédagogique de l'école Waldorf Steiner de Montréal. Je fus mise en présence d'une pédagogie sensible et édifiante, une approche que j'aurais eu envie de vivre lorsque j'étais enfant. Ainsi, quand est venu le moment de trouver quelqu'un pour aborder la place de l'art dans l'éducation, place assez malmenée depuis quelque temps, sans hésiter, je me suis adressée au responsable de l'enseignement de l'art à cette école.

Avant de présenter l'entretien avec Jean Balekian, voici d'abord quelques notes précieuses prises lors d'une conférence du congrès intitulée *Marcher, parler, penser, apprentissage et ordre de développement de la personne humaine*, donnée par Rosita Mahé.

« [...] L'enfant est un champ de forces qu'il nous faut apprivoiser. Ses premiers dessins, faits de lignes fragiles, sans direction ni forme précises, dont le parcours rappelle le vol des insectes, donnent l'image du mouvement des forces à l'œuvre en lui. Nous n'avons pas à le dresser, plutôt nous devons lui offrir une situation qui le nourrisse, afin qu'il puisse se construire globalement. » Dressé, il pourra répondre, mais ceci ne signifie pas qu'il est en train de se construire et que ces forces soient en train de trouver leur chemin. Pour illustrer ce qui précède, voici quelques dessins de ma petite-fille Lula :

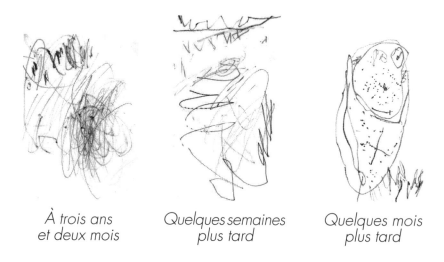

À trois ans
et deux mois

Quelques semaines
plus tard

Quelques mois
plus tard

« [...] L'enfant est nourri en profondeur par nos actes et les substances de nos actes, et par nos mots. De 0 à 3 ans, sa tête est indépendante des mouvements de son corps. Il respire et ses membres gigotent. Le mouvement de ses bras permettra de fortifier son cœur, le mouvement de ses jambes permettra de porter et de conduire son corps. La fortification des attaches de ses mains et de ses pieds le mettra sur la route de l'équilibre psychique. Ainsi, les bras et les jambes fortifient l'organisme, sculptent et fortifient le larynx afin de le rendre apte à la parole. [...] Jusqu'à 7 ans, l'enfant n'est que mouvement et il nous fatigue. Aucun discours n'est valable, il faut plutôt se garder vivant aux situations et proposer des mouvements frais. Pour ce faire, nous devons être en mouvement à l'intérieur de nous-mêmes. La naissance et le développement de son langage vont permettre le développement de sa pensée. L'enfant se laissera imprégner par les autres. Il sera paralysé ou motivé dans son langage par les propositions qu'on lui donne à vivre, à voir et à entendre. L'enfant est comme un œil, il reproduit automatiquement en lui le modèle, il intègre ce qu'il voit dans son corps. Les soins reçus sont des modèles d'actes pour lui. Nous pouvons imiter, être en action apparente, sans être en mouvement. Les sentiments écrasés, l'affectivité non nourrie, le manque de soins et d'apprentissage vivant feront que, tout au long de la vie, les sentiments auront de la difficulté à émerger. Dans ces tentatives, la douleur sera grande. Les sentiments seront alors étouffés car on a trop mal, et ils seront remplacés par des sensations : excès d'alcool, drogues et violence, par exemple, deviendront une représentation de ce qu'on ressent, et non l'expression de ce que l'on ressent [...] »

***

Ma vision et ma pensée enrichie et renouvelée par la teneur de cette conférence, et par celles des autres intervenants européens venus à Montréal pour le congrès, c'est donc avec joie et confiance que me suis rendue chez Jean Balekian par un merveilleux matin ensoleillé.

Nous avions quelques heures devant nous, en fait, j'ai eu le sentiment qu'il avait tout son temps ; parler art et éducation coule de source pour lui, source de joie.

L'héritage de Rudolf Steiner
Entretien avec Jean Balekian

Il est né à Alexandrie et vit au Québec depuis près de trente ans. Tout petit, alors qu'il est assis dans l'atelier d'un peintre, il croit, ébahi, que les paysages apparaissent sur la toile par magie! Le temps a passé. Entre les voyages, le travail et les études, sa formation s'est étalée sur plusieurs années: cours de graphisme, bac en beaux-arts de l'Université Concordia, certificat en enseignement de l'UQÀM et formation spécifique en enseignement de l'art dans les écoles Waldorf donnée au collège Sunbridge à New York. Il peint, griffonne quelques poèmes à l'occasion, lit Rilke et Aragon avec autant de bonheur qu'autrefois et se sauve à la campagne le plus souvent possible.

Ses yeux pétillent derrière ses lunettes, tandis que d'une voix douce il amorce les explications à de profondes questions; nous n'avons plus qu'à le suivre.

Pédagogie et nature humaine

Dans les écrits de Rudolf Steiner, on trouve cette notion très importante: il n'y a aucune pédagogie dans un système d'éducation qui ne s'adresse pas à la nature même de l'être humain; la nature humaine étant tripartite, l'enseignement doit donc s'adresser à la tête, au cœur et au corps.

Prenons la tête d'abord, dans laquelle se situe la capacité de penser.

Penser est l'élément que nous contrôlons le mieux, nous pouvons suivre le fil de la pensée, le développer et le modifier à notre gré; penser s'apparente à l'état conscient.

Poursuivons avec notre métabolisme.

Si je prends conscience de mon ventre, c'est que j'ai un malaise, sinon je n'y penserais pas; le métabolisme agit donc tout seul sans que nous ayons à nous en occuper, il est autonome de notre pensée. Une autre considération importante liée au métabolisme concerne nos membres, pieds et mains. Nous pouvons dire qu'ils agissent d'eux-mêmes, d'élan, sans que nous ayons à intervenir vraiment; ainsi, volonté et agir s'apparentent à l'inconscient. C'est dire déjà que la volonté devra être éduquée et orientée.

Entre notre pensée consciente et notre métabolisme autonome, qu'y a-t-il?

Notre cœur, dans lequel nous trouvons les sentiments et les désirs. Nous n'avons pas de contrôle réel sur nos sentiments et nos désirs, ils vont et viennent; sentiments et désirs s'apparentent à l'état de rêve, au subconscient.

Prenons maintenant le cœur.

Une expression populaire dit: « Tant que le cœur bat... » Qu'est-ce qui fait que le cœur est capable de longue durée? C'est la maintenance de son rythme spécifique.

Donc, entre la pensée et ses raisonnements constants, les nombreuses activités et la cadence de notre vie, qu'est-ce qui apporte l'équilibre? Quel est l'élément médian?

C'est le souffle!

Le souffle vient de l'intérieur, il monte à la rencontre de la pensée qui descend et s'exprime avec des mots; tous deux passent par le larynx. Cela signifie que le larynx doit être éduqué; ici interviendra la pratique du chant.

La volonté, pour sa part, peut être éveillée et éduquée par diverses activités : danse, gymnastique et exercices variés qui visent à rendre les élèves conscients de l'espace, des lois de la gravité, des forces environnantes avec lesquelles ils interagissent.

Cette pédagogie vise donc à mettre le corps en mouvement à travers les rythmes qui éduquent, à lier le cœur et le souffle, à ennoblir le désir et les sentiments.

Jeu, imagination, rythme

Lorsque nous naissons, nous ne sommes pas tout à fait finis. Le système immunitaire n'est pas développé et notre vue doit se parfaire tout comme le reste du corps. Au cours de ces étapes de croissance, nous devrons atteindre un certain équilibre. Ainsi, de 0 à 7 ans, les bases de la vie sont jetées : le corps physique continue son élaboration et, par l'éveil des sens, l'enfant apprend à se ressentir et à ressentir le monde. L'adulte doit veiller à lui offrir un environnement sécuritaire à l'intérieur duquel il pourra se découvrir et se développer. Durant cette première étape, l'apprentissage se fait essentiellement par le jeu et l'imitation, l'enfant imite ce qu'il perçoit autour de lui ; l'enfant n'est que regard.

Un des premiers signes physiques qui dit que l'enfant change d'étape se situe autour de 6 ou 7 ans, au moment où il perd ses dents de lait et commence la poussée de ses dents adultes. À ce moment-là, il manifeste son détachement, commence à se sentir comme un individu distinct de son environnement et est prêt pour l'école et l'apprentissage. Par contre, il ne faut pas le voir comme un petit adulte, car sa pensée, ses sentiments et son corps ne sont pas adultes. À cette nouvelle étape, outre l'activité physique et le maintien de sa santé, c'est par le biais de l'imagination et du rythme que l'éducation se poursuit.

L'enfant a une sensibilité intuitive pour les histoires et pour le jeu avec les couleurs. Lorsqu'il entreprend une activité, tous ses sens y participent, il parle avec sa bouche, ses yeux, ses oreilles, il est donc apte à percevoir, faire sien et communier avec ce que les couleurs, les images et les sons évoquent, il s'en imbibera. On le voit bien d'ailleurs quand, dans une classe d'art, ils sont en train de peindre du bleu : on sent le calme, l'ambiance est pour ainsi dire bleue. Par contre, si on travaille le rouge, l'ambiance est tout à fait différente : ils bougent, s'agitent, parlent plus fort.

Apprentissage de l'aquarelle. Un lavis est appliqué sur une feuille déjà mouillée. Une partie de la couleur est ensuite retirée à l'aide d'un pinceau humide qui sert de buvard. On poursuit en ajoutant de la couleur dans les formes créées. Dessin fait par les élèves de 5ᵉ année ; approximativement 43 cm × 30 cm

L'apprentissage de l'art

Si nous abordons une surface en commençant par choisir des couleurs, déjà on établit une relation entre notre sentiment et nos gestes. On applique la couleur au gré du senti, en couvrant la toile en partie ou en totalité. On s'ajuste au fur et à mesure :

ici, on retirera un peu de couleur, plus loin, on décidera d'en ajouter. En créant ainsi au fur et à mesure, en étant attentif et en travaillant lentement, on permet à quelque chose d'éclore. De ce dialogue entre nous et le tableau, entre les couleurs et les gestes, naît la forme. On part d'une couleur précise pour établir une atmosphère, ensuite on module avec d'autres couleurs. De l'ensemble naît une image. Si on décide à l'avance de dessiner quelque chose de précis sur une surface de toile ou de papier, l'idée est déjà terminée en soi, il ne nous reste plus qu'à bien la remplir de couleurs. Cette approche peut être satisfaisante et agréable, mais nous ne sommes pas véritablement en train de créer. Il est préférable de commencer par la couleur avant de commencer avec la forme. Ce sont les couleurs qui mènent aux formes.

Exercice de base

Un des exercices de base consiste justement à découvrir l'interaction des couleurs primaires : bleu, jaune, rouge. En se basant sur l'observation, on sait par exemple que lorsqu'on roule à la campagne et qu'on regarde les montagnes au loin, elles apparaissent souvent bleues. On continue de rouler et le bleu continue à s'éloigner de nous. Donc, dans cet exercice, on appliquera le bleu dans le bas d'une feuille pour créer justement cet espace bleuté qui nous environne. Ensuite, on choisira le jaune, la couleur la plus proche de la lumière, et on l'appliquera à partir du centre de la feuille en montant. Dans cette rencontre du bleu et du jaune, naît le vert. Le bleu a créé un espace propice pour entourer ce qui vient, le jaune va féconder l'espace et on obtiendra le vert. Cet exercice vise également à travailler les gestes de retrait et les gestes de rayonnement.

Si on regarde autour de nous, le vert est généralement formé, le jaune sera formé dans la fleur, mais rarement ailleurs. Dans le vert, dans cette concentration de la lumière, on pourra introduire le rouge. C'est donc par le biais de la couleur qu'ils apprivoisent la forme. Tout à coup, on entend un enfant s'écrier : « Je vois une fleur ! » « Peins-la ! » lui répond-on.

Reprenons avec le jaune. On peut dire qu'il est rayonnant, voire fuyant. Par contre, si on l'applique de manière trop uniforme et qu'on bloque son rayonnement, il prendra un aspect crayeux. Quand il se ramasse, se rassemble, il offre une tension et c'est là que l'orange entre en jeu. L'orange offre une expansion. Si je veux libérer l'orange, je vais l'amener vers l'or, si je veux le tendre davantage, je l'amènerai vers un certain rouge.

En polarité au jaune, on trouve le violet, la couleur qui arrive tout de suite après l'obscurité, après le noir. Le violet contient une part de rouge. Utilisé près du jaune, il apportera son renfort et rendra le jaune plus dynamique. Les impressionnistes, par exemple, ont fait grand usage des contrastes complémentaires : violet/jaune, orange/bleu, vert/rouge ; avant eux, en deux mots, nous baignions plutôt dans les clairs-obscurs.

La différence des enjeux entre le primaire et le secondaire

Au primaire, on laissera à l'élève le temps de s'émerveiller sur les couleurs avant d'arriver à une image, car il y viendra de manière presque intuitive et ludique. C'est l'univers de la fantaisie dans son sens noble, c'est-à-dire l'imagination ; il est préférable de ne pas brimer cette fantaisie naturelle, il faut plutôt lui donner l'espace pour qu'elle puisse être vécue et s'épanouir. C'est après la sixième année, à la suite de l'introduction de la perspective, du dessin noir et blanc et du travail de l'aquarelle avec la technique des voiles, qu'on introduit *le regard de l'artiste* et qu'on commence à organiser l'espace pictural.

À la puberté, les adolescents sont aux prises avec des sensations nouvelles. L'ossature s'accroît ; chez les garçons, le physique devient plus imposant, les proportions se défont, les bras et les jambes s'allongent, c'est donc toute la notion d'équilibre qui entre en jeu. Ils sont turbulents et traînent encore dans l'enfance par leurs jeux de bousculade. Les filles s'émancipent plus rapidement, elles réagissent avec sensualité aux changements anatomiques qui les mènent vers la maturité physique réelle et l'éventuelle aptitude à concevoir et à porter un enfant. Elles ont besoin de sentir ce qui se passe, de se faire belles et de se démarquer. À cette étape, tant les filles que les garçons se désintéresseront de l'art et de tout ce qui n'est pas leur corps, si on ne leur donne pas les rudiments nécessaires afin qu'ils puissent rendre ce qu'ils voient. Ils ont besoin de ce passage dans le réel, ils veulent et ils ont besoin, en dessin par exemple, qu'un cube ressemble vraiment à un cube et qu'une histoire soit vraie. En même temps, ces changements sont accompagnés de lassitude, de déprime et de découragement. Ce qui s'opère dans leur corps est de nature purement physique. Le physique est toujours sous l'influence de la gravité. Ce qu'on doit tenter de faire pour les empêcher de sombrer dans ces lourdeurs, c'est de solliciter et de nourrir leur attention d'éléments qui sont en polarité avec la lourdeur, afin qu'ils puissent passer à travers ces changements avec moins de difficulté et de souffrance. Nous devons les aider à dépasser en partie ce qu'ils vivent pour faire en sorte qu'ils ne s'arrêtent pas à cette étape.

Le but de la pédagogie n'est pas de les empêcher de vivre la lourdeur, mais de l'équilibrer. On leur présente, par exemple, des biographies de personnalités qui ont réussi à traverser les étapes de la vie en bravant les difficultés, les mauvais sorts, les mauvaises circonstances et qui sont arrivées à réaliser quelque chose. À l'adolescence, les filles et les garçons ont besoin de se nourrir d'idéal. On va les amener à découvrir des artistes, des musiciens. À travers la découverte et la pratique des arts, on tentera de leur faire vivre des sentiments légers, moins centrés sur leurs viscères. Le choix et la qualité des activités d'art, peinture, musique, mouvements, seront cruciaux pour leur formation. Dans tous les deux cas, on doit les intéresser au sens du beau.

Il faut beaucoup les écouter, et en même temps, il faut beaucoup de fermeté. Les jeunes doivent rencontrer une certaine résistance, c'est ainsi qu'ils forgent leur force et leur individualité. Fermeté ne veut pas dire agressivité ou violence; il s'agit d'une force plus éduquée et positive. S'il n'y a pas de résistance autour à laquelle se frotter, ils s'écraseront… de lourdeur.

Il y a une perte de sens en éducation, aujourd'hui. On pourrait même ajouter qu'il y a une perte d'objectif, osons le mot «noble», car on a beaucoup simplifié. De la même manière, on a perdu cette notion si palpitante qu'est la quête du mystère. En fait, ce dont il s'agit véritablement pour l'artiste, c'est de rendre visibles des éléments et un point de vue qui, sans lui, n'auraient pas existé de cette manière-là.

La notion de la beauté

Comment on fait sens de ce que l'on a sous les yeux?

C'est le cœur même de la notion d'esthétique. La recherche de l'esthétique telle qu'on l'entendait il y a très longtemps, chez les philosophes grecs, renvoie à la notion du beau et du vrai. L'ère moderne, avec sa mécanisation et ses spécialisations, nous a éloignés de l'esprit et du parcours intrinsèque au sens du mot. Dans le langage actuel, le mot «esthétique» renvoie encore et toujours à la notion du beau, mais comme notion subjective: j'aime ou j'aime pas… Certains apparentent maintenant l'esthétique uniquement à la notion de design – esthétique et design sont devenus synonymes. Jadis, l'art était au service de la vie, mais les notions d'utilité et de nécessité ont changé. En revanche, et ceci est des plus intéressants, ce que le mot «esthétique» veut vraiment dire, les éléments qui le constituent et auxquels le mot renvoie sont parfaitement actifs et utilisés aujourd'hui: la recherche, la déconstruction de l'espace, l'utilisation en thérapie, en pédagogie, comme élément d'hygiène personnelle, pour exprimer l'époque dans laquelle on vit, ou pour explorer ou déceler ce qui vient de l'avenir, comme un support visionnaire. En rassemblant tous ces éléments, en soutirant leur essence, leur raison naturelle, la pulsion qui nous y mène, nous avons une vue d'ensemble de ce qu'est l'esthétique.

Chacun se donne ainsi une grande liberté, et par ce fait, une responsabilité. Ces deux notions sont polaires, elles ne vont pas ultimement l'une sans l'autre, elles sont liées par nature. On parle rarement de responsabilité quand on parle de liberté, de la même manière on ne nomme plus l'exigence que sous-tend la quête esthétique… Elles n'ont pas disparu pour autant. Dans la nature elle-même, végétale ou animale, il y a cette nécessité, et dans le mot « esthétique » il y a cette absolue nécessité. On entend souvent un artiste exprimer sa pensée et parler de son travail en utilisant le mot « nécessité ». On a oublié que cette nécessité est partie prenante et intégrante du mot « esthétique ».

La figuration, la nature

Un élément qu'on oublie souvent en parlant de la représentation de la nature, c'est que par la photographie, le documentaire, la télévision et les films ont fait entrer la nature dans la maison ; la nature est devenue une notion abstraite. Quand je regarde un magnifique paysage à la télévision ou en photo, je peux être emporté, mais rien n'indique la nécessité de la nature elle-même et du système écologique entier composés des éléments du monde végétal, animal et humain pour ainsi dire. Pour que la nature devienne pour moi quelque chose de réel, je dois être en contact avec la vraie nature. On s'en rend bien compte quand on travaille d'après une photographie, par exemple. On est bien installé dans son studio et, à l'aide d'une photographie, on peut facilement dessiner un arbre, une fleur, un sous-bois, on est dans son élément, mais prendre une toile et sortir à l'extérieur pour peindre, c'est tout autre chose. On voit et ressent la complexité de la nature ; dessiner un arbre devient un défi bien différent. Parce que je ressens la vie autour de moi de manière plus concrète, ce que je veux et peux représenter est tout autre.

Le lieu où on peint un tableau compte vraiment. Imaginez qu'autour d'un arbre nous sommes une vingtaine de personnes. Je vois l'arbre dans cet angle, vous le voyez dans un autre, votre voisin le voit aussi autrement, c'est toute la richesse des points de vue.

Aujourd'hui, on ne peut plus dire qu'un artiste tend à l'universalité. Une partie de l'œuvre d'un artiste peut facilement être sociale; on pourra y retrouver écologie, responsabilité, la notion de la place qu'occupent ou doivent occuper les choses et les humains sur la terre et dans la nature, mais les artistes ne sont pas tous sensibles à cet aspect.

Les qualités thérapeutiques de l'art

Si le professeur utilise la couleur pour faire vivre à l'enfant la beauté et la vivacité du monde qui l'entoure à travers la dynamique de la couleur, le thérapeute pourra utiliser cette même dynamique pour éveiller des forces guérissantes chez une personne souffrante. Rappelons la tripartition de l'être humain: la partie centrale de l'être humain, c'est le cœur. Si on veut faire bouger quelque chose chez l'être humain, si on veut amener une guérison, on doit faire bouger ce qui a tendance à se scléroser ou à s'affaiblir. Ainsi, l'art utilise les forces du cœur, les forces des sentiments, pour amener des forces guérissantes et faire circuler l'énergie.

L'application de cette pédagogie en thérapie

La conception anthroposophique de la santé et de la thérapie fait appel à diverses disciplines. L'artiste thérapeute, peintre et musicien par exemple, travaillera de concert avec un médecin et d'autres spécialistes nécessaires pour traiter d'un cas particulier. On trouve l'approche anthroposophique dans certains centres hospitaliers ou certaines cliniques spécialisées en France, en Allemagne, en Suisse, aux États-Unis et au Canada (en Ontario et en Colombie-Britannique).

Le futur de la peinture?

En peinture, nous sommes allés au bout de l'abstraction, jusqu'au minimalisme, jusqu'à refuser l'objet en tant que tel, mais, d'une certaine manière, l'abstraction a toujours existé. Quand on agrandit une partie d'un tableau, on voit le geste abstrait ou la multitude de gestes abstraits qui compose une forme. Tranquillement, on revient vers une figuration qui est tout à fait novatrice par rapport à ce que l'on connaît. Par exemple, dans un tableau, on pourra reconnaître des formes qui évoquent des lieux ou des personnages qui ne sont pas représentés de manière complète, mais on les devine. Cette figuration sera encore imprégnée de l'individualité de chaque artiste; ceci est acquis pour chacun, en fait ce fut toujours présent. Au temps de l'impressionnisme, plusieurs utilisaient la même approche, voire une technique comparable, mais les résultats étaient imprégnés de leur sensibilité propre : c'est là un des buts de la recherche en art. Pensons aux œuvres de la Renaissance. À quoi font-elles référence? Comment sont-elles bâties? On y reconnaît, par exemple, le développement de la perspective. Tout y est ordonné, on est face à un monde fermé où chaque élément est à sa place, la représentation ultime se situe en dehors de l'être humain et tend vers un lieu ou un dieu qui est éloigné. Cet art réfère au passé. Au XXe siècle, nous n'avons plus cette ordonnance fermée, l'œuvre d'art ne se réfère plus à quelque chose qui est extérieur à l'être humain, mais à quelque chose qui le concerne de près. Elle se réfère à ce que je ressens, ce que je suis, ce que je pense, elle naît de l'élan individuel et amène la multiplicité des genres.

***

À la suite de cet entretien avec Jean Balekian, il m'a semblé opportun de rassembler quelques repères pour montrer les influences et les événements qui nous ont menés à l'art contemporain, entre autres la naissance de la photographie, le développement technologique et scientifique, le cubisme, l'expressionnisme et les objets trouvés. Ces repères sont rassemblés dans le prochain chapitre.

Mini mini repères sur l'histoire de l'art contemporain

Les termes «peinture moderne» et, plus tard, «art abstrait» ont été consacrés à la peinture du XXe siècle afin de la distinguer de la peinture académique. On utilise maintenant plutôt le terme «art contemporain» car les frontières entre les diverses formes d'expression artistique se sont dissoutes. On peut maintenant retrouver dans une même exposition: des tableaux, une installation vidéo, de la musique et des objets.

Concernant les débuts de l'art abstrait, Anna Moszynska, dans son formidable ouvrage *L'art abstrait*, explique: «[…] L'évolution vers ce type d'art […] ne fut pas un phénomène isolé mais seulement un des aspects du bouleversement social, intellectuel et technologique qui se produisit au tournant du siècle. L'émergence de l'art abstrait est aussi directement liée à des changements qui survenaient alors dans la peinture elle-même. D'une importance capitale, l'avènement de la photographie, dans les années 1840, avait amorcé une réévaluation critique de

la compétence de l'artiste à créer une représentation convain-
cante de la réalité. Maintenant qu'ils se retrouvaient libérés du
besoin de recréer les apparences externes, de nombreux artistes
s'appliquèrent à la représentation de réalités et d'émotions plus
subjectives, intérieures. Lorsque Gauguin conseille de peindre
de cœur, par exemple, cela sous-entend que les artistes fassent
appel à leurs propres ressources intérieures – voie qui sera par
la suite explorée, entre autres, par les surréalistes et les expres-
sionnistes abstraits. Les qualités monochromes de la photographie, combinées à la disponibilité dans le commerce d'une
gamme accrue de coloris de peinture à partir de la moitié du
XIXᵉ siècle, ainsi que les découvertes sur la perception de la lumière
et de la couleur, encouragèrent les artistes à se concentrer sur
ces caractères essentiels de la peinture que sont la couleur et la
texture de surface. Comme l'a affirmé le peintre Maurice Denis
en 1890: "Un tableau, avant d'être un cheval de bataille, une
femme nue ou une quelconque anecdote, est essentiellement une
surface plane recouverte de couleurs en un certain ordre assem-
blées." Cette déclaration de Denis offrait une base logique théo-
rique qui allait être développée par la suite de diverses façons.
Entre-temps, un autre facteur ouvrait de nouvelles voies pictu-
rales à explorer pour les artistes: c'était l'exemple de l'art non
occidental, dans lequel la perception spatiale et la représentation
artistique s'appuyaient sur des fondements différents, moins ra-
tionalistes[13]. »

L'auteure nous apprend que le Bauhaus (1919-1932) en
Allemagne, la célèbre école d'architecture et des arts appliqués,
a joué un rôle majeur dans l'évolution de l'art moderne. Outre
les ingénieurs et les architectes, on y trouvait métiers d'art et
artistes peintres. Quand ils eurent quitté les campagnes et les
villages pour vivre en ville, les artistes se sont émerveillés pour
l'industrialisation et la puissance des machines, elles deviendront
des modèles et des sources d'inspiration; sur les toiles, finiront

---

13. Anna Moszynska, *L'art abstrait*, Paris, Thames & Hudson, 1998, p. 7-8.

par apparaître éclats de lumière, figures géométriques et rotation de moteurs. Des tableaux aux titres évocateurs parsèment son livre et rendent compte de l'influence des découvertes modernes: *Disques de Newton*, Kupka (1911-1912); *Battle of Lights*, Coney Island, Stella (1913-1914); *Rectangles placés selon les lois du hasard*, Arp (1916, 1917); *Revolving*, Schwitters (1919); *Hommage au carré*, Josef Albers (1959).

À la suite de la fermeture du Bauhaus par les nazis, plusieurs artistes fuiront l'Allemagne, émigrant, certains en France, d'autres aux États-Unis, dont Josef Albers, ancien professeur au Bauhaus, qui aura une profonde influence sur l'enseignement de l'art aux États-Unis. Les douleurs, les désillusions et l'obligation de re-bâtir qui ont entouré les années de guerre en Europe ne seront pas étrangères au développement de l'art et de l'architecture moderne. Le passé étant révolu, son héritage détruit, on devait recommencer, on allait le faire autrement. Les lignes droites, épurées, neuves ont remplacé les courbes… Maisons et cons-tructions deviennent blocs et cubes, certaines plus réussies que d'autres. On aspire à un futur meilleur et à de grandes conquêtes, les édifices finiront par gratter le ciel. (On assiste actuellement, en Allemagne, à une attention renouvelée pour l'héritage et la conservation des bâtiments et des pièces d'art qu'ils abritent. On est à refaire, sauver et répertorier les pièces.)

Une autre influence importante, dans le domaine de l'esprit cette fois, a imprégné les mœurs et modifié la route, c'est la fameuse déclaration de Nietzsche (1844-1900) qui dit: "Dieu est mort." La quête de l'artiste moderne devint alors tout à fait différente de celle de l'artiste qui l'a précédé. On lui dit que Dieu n'existe plus; tranquillement, cette notion aura des conséquences sur divers aspects de sa vie et de son art, entre autres l'influence des autorités religieuses et royales qui le payent et lui indiquent souvent ce qu'il doit peindre s'amenuisera. Pour continuer, l'artiste, le peintre moderne, n'a pas le choix, il doit affirmer une certaine individualité.

Sur les traces de quelques grands

Claude Monet[14] (1840-1926), qui enchante encore et toujours notre regard, a été influencé par le peintre Boudin; il admire Manet qui, déjà, présente dans ses tableaux reflets et mouvements de la lumière qui joue sur tout, et sur l'eau. Lors d'un séjour en Angleterre, Monet découvrira Turner (1775-1851) qui, lui, en voyageant aussi, s'était imprégné de l'éclat de la lumière et des couleurs qui baignent les paysages de l'Italie. Monet s'abreuvera à des sources étrangères, il a possédé une extraordinaire collection d'estampes japonaises où les tons et les formes à plat n'avaient alors rien de comparable autour de lui.

Cézanne (1839-1906), qui étudie avec Delacroix, apprend Rubens. Il s'attarde à la structure et au rapport entre les masses. Il reproduira les formes et les objets en montrant les figures géométriques: les rectangles, carrés et cylindres qui les composent; arbres et buissons deviennent des sphères, les sapins deviennent des cônes!

Picasso[15] (1881-1973), installé à Paris, sera inspiré par Cézanne. Il poussera plus loin les figures géométriques des formes, jusqu'à faire, ce qu'il est convenu d'appeler, la révolution cubiste. Il présentera *Les demoiselles d'Avignon*; le tableau fera scandale, mais les générations de peintres qui suivront ne sentiront plus l'obligation de reproduire des formes exactes ou idéalisées. Sur son célèbre parcours, à travers les formes produites et les visages, Picasso avouera s'être inspiré aux sources anciennes: l'art africain rapporté en France qui faisait fureur à son époque, et l'art égyptien.

Marcel Duchamp[16] (1887-1968), le dernier d'une famille d'artistes, brillant et tout entier à la tache de se démarquer et de

---

14. Frank Milner, *Monet*, Londres, PRC Publishing, 1991 et 2003.

15. Calvin Thomkins et les rédacteurs des Éditions Time-Life, *Duchamp et son temps*, Amsterdam, Éditions Time-Life, 1973, p. 161.

16. *Ibid.*, p. 162.

ne pas répéter son propre travail, fera sa marque lors d'une célèbre exposition à New York avec son tableau *Nu descendant un escalier*. Ce tableau cubiste montrant un nu fut une réelle provocation, car le nu avait été banni de la préoccupation artistique du groupe en vue, on le disait devenu banal et ennuyeux. Dans ses recherches, Duchamp proposera aussi l'utilisation d'objets courants, dont la fameuse roue de bicyclette qu'il a fixée sur un banc en bois, puis l'urinoir qu'il a également présenté à une exposition new-yorkaise ; l'objet fera scandale et, en même temps, assurera sa popularité. Après l'utilisation d'objets trouvés, qui suscite et renouvelle les sources d'inspiration, avec ces objets tout faits, le *ready-made* venait de trouver sa place. Il a ouvert la voie à l'art populaire, le pop art, qui a fait fureur à son tour, sans plaire à tout le monde. C'est Duchamp qui a mis une moustache à une reproduction de *La Joconde*, provocation oblige. Duchamp partagera sa vie et son temps entre la France et les États-Unis, où son influence se fera sentir même en musique.

Des objets trouvés aux objets fabriqués, suivront, croissance industrielle oblige, les objets à recycler. L'utilisation de l'objet en création sera habilement menée ici par deux sculpteurs reconnus sur la scène internationale : Michel Goulet, à qui on doit, entre autres, l'installation de chaises de métal intégrée au paysage urbain, place Roy et avenue du Parc-Lafontaine, beau temps, mauvais temps ; et Armand Vaillancourt, qui travaille avec l'objet recyclable.

***

Suivant le début du XXe siècle, les peintres américains voudront s'affranchir de l'influence européenne et chercheront une voie nouvelle. Survivant chez elle aux sévères critiques de départ, la peinture abstraite américaine, avec ses grandes surfaces, sa rude liberté et son *dripping*, particulièrement dans l'œuvre de Jackson Pollock (1912-1956), fera son chemin. La peinture américaine s'est enrichie des courants de son continent : la peinture de sable et la peinture murale mexicaine. L'impact sera tellement important qu'elle contribuera à faire se déplacer le regard de Paris vers New York.

***

Chaque époque a connu ses promoteurs et ses délateurs. D'une première exposition des tableaux de Van Gogh (1853-1890), à Londres, on a dit qu'ils ne valaient pas deux schillings !

Dans le foisonnement de la vie devenue moderne, une autre influence fut majeure, issue celle-là des percées de la psychiatrie ; les travaux divulgués sur l'inconscient et ses manifestations, l'univers du rêve, les liens entre le monde intérieur et le monde extérieur, les lois du hasard et leur impact seront au centre des préoccupations des chercheurs et des artistes. Le surréalisme, mené par André Breton (1896-1966), sera exploré, tant par les peintres que les écrivains. Sartre lui-même écrit : «Je veux bien qu'on dise *petit cheval de beurre...*» Mais à quoi ça rime, laisse sous-entendre son récit. L'expression ne choquerait plus personne, elle offre un déplacement, qui en plus fait glisser la pensée vers une douceur inattendue, un autre monde. Parmi les activités ou les jeux surréalistes, il y a eu les célèbres «cadavres exquis» qui consistent «à composer collectivement une phrase en écrivant un mot sur un papier que l'on plie avant de le passer au joueur suivant qui doit inscrire un autre élément de la phrase[17] ».

---

17. Explication tirée du *Petit Robert* sous le mot «cadavre».

Note de l'auteure : le premier joueur peut ajouter un adjectif qualificatif au sujet ; le deuxième et les autres peuvent ajouter exclamation, complément et adverbe au verbe. Voici, pour l'étonnement et le plaisir, quelques-uns des merveilleux cadavres exquis écrits avec Karine Cousineau quand elle était adolescente :

L'objet heureux / Crée / Dieu / Tranquillement.
La défense joyeuse / Frémit / À son poste / Toujours.
Le poème / Colore la vie / Sans trop savoir / En devinant.
Un désir / Époustouflant / N'impose / Rien !

Dans le bouleversement des méthodes et des approches, les artistes ont avancé pour eux-mêmes et pour tout le monde du même coup. En ébranlant l'académisme de leur temps, ils ont ébranlé le pouvoir en place, politique, financier ou religieux. Chez nous, les tableaux des peintres canadiens et québécois ont longtemps montré de formidables paysages où régnaient notre exceptionnelle nature et les scènes de la vie rurale. En 1947, ce sera notre *grande rupture*. Paul-Émile Borduas et les signataires du manifeste du *Refus global*, dont Riopelle et Françoise Sullivan, seront révolutionnaires, visionnaires et passionnés; «ce manifeste, dit *surrationnel*, obtint d'ailleurs dès le début la caution internationale du journal *Arts* en France et de la revue *Time* aux États-Unis[18]» tel que noté dans l'introduction du livre. Peintres et artistes québécois proposent d'explorer l'univers intérieur, la liberté d'être, la liberté de penser et se rendent sensibles au hasard, «aux rapprochements fortuits, ceux qui, essentiellement issus du hasard, présentent le degré d'arbitraire le plus élevé[19]».

Finalement, il apparaît que la prise de liberté et l'affranchissement réel, le «rejet» se font avec les propositions académiques, politiques et religieuses temporelles de chaque époque, et non entièrement avec la richesse de l'histoire de la peinture et de l'art même. L'œuvre de Picasso est inspirée, par endroits, de gravures anciennes et d'art africain; les automatistes et les surréalistes, québécois et européens, sont admiratifs et suivent, entre autres, la fameuse leçon de Léonard, tel que rapporté encore dans l'introduction du *Refus global*: «La leçon de Léonard incitant ses élèves à [...] regarder longuement un vieux mur décrépit: " Vous ne tarderez, leur disait-il, à remarquer peu à

---

18. André-G. Bourassa et Gilles Lapointe, dans l'introduction au livre de Paul-Émile Borduas, *Refus global et autres écrits*, Montréal, Typo, Hexagone, 1990, p. 8.

19. *Ibid.*, p. 12-13.

peu des formes, des scènes qui se précisent de plus en plus."[20] »
Voilà comment faire naître une fresque.

Peu de femmes sont citées dans l'histoire de l'art. Du temps des grandes académies, elles n'avaient pas, là non plus, droit de séjour. Lors des révolutions, à part quelques-unes, elles étaient plus souvent qu'autrement dans l'ombre des peintres, ou debout dans la lumière. Pour mieux connaître et apprécier l'apport de celles qui, chez nous, ont avancé en premier, on pourra lire, avec contentement, *Les femmes du Refus global*[21] de Patricia Smart. Aujourd'hui, dans les classes de peinture et de dessin, les femmes sont parfois en majorité.

Autour des années 70, avec les événements et les performances[22] (*happenings & performances*), plusieurs artistes et féministes américaines ont trouvé une place et un public plus large, proposant des événements où cohabitent danse, musique, paroles et vidéo ; cet apport libérateur est toujours en vogue.

À la même époque, le superbe *land art*, connu à travers la photographie, retiendra l'attention avec ses installations naturelles, par exemple des pierres des champs aménagées en cercle ; approche qui, d'une certaine manière, coïncide avec le retour à la terre et l'intérêt renouvelé pour les rites et les traditions autochtones. Le fermier dans son champ, qui regardait l'artiste poser des pierres en rond, a-t-il souri en hochant la tête ?

Ce sont les observateurs et les critiques d'art qui, au long du temps, ont nommé les divers mouvements et c'est à travers leurs commentaires et écrits que souvent nous abordons le travail des artistes.

---

20. *Ibid.*, p. 13.
21. Patricia Smart, *Les femmes du Refus global*, Montréal, Boréal, 1998.
22. Cours à l'Université Concordia donné à l'automne 2004.

Tout brille encore de la même manière sous le soleil. Au temps de Molière, on disait le théâtre ambulant; aujourd'hui, on le dirait événement. Avec d'autres moyens et techniques, les besoins d'expression se poursuivent et apparaissent semblables; dans les cérémonies et les rituels anciens, on trouvait: masques, costumes, danses, musiques, et plus au sud, rites de guérison et œuvres dans le sable (*sandpainting*) qui visaient aussi à guérir.

On parle bio art maintenant. Cette recherche date certainement de plusieurs décennies, mais elle reçoit de plus en plus d'attention; il s'agit de la manipulation de cellules vivantes qui vise à créer de nouvelles formes, comme de raison, vivantes. Certains se réjouissent et y voient la promesse d'un nouvel engouement aussi important que le fut l'impressionnisme en son temps; je l'ai entendu à l'université dans l'exposé oral d'un élève. Chemin faisant, ces chercheurs se demandent s'il y a lieu d'être appelés artistes.

Moi, j'en suis toujours à l'huile et à l'eau, à la couleur du temps, au feuillage frémissant, à la terre ocre d'automne, au caillou magique et à l'œuvre au bleu qui surplombe ma vie. Le vivant que je manipule se trouve dans mon cœur et dans mes yeux.

« Tu sais mamie, la peinture c'est quand tu es libre que tu le fais, pas quand t'es obligée. Est-ce que tu comprends ? »

Lula, 8 ans

Épilogue

Un jour, je suis assise à la terrasse d'un café rue Saint-Denis. Soudainement, poussées par le vent, sont apparues sur l'entière largeur de la rue, pendant plusieurs mètres de haut, des milliers de semences aux ailes en cheveux d'ange. Elles ont survolé les autos et les passants comme en un ballet immense. Certaines ont atterri sur nos tables et nos têtes ; il y en avait tellement, on aurait cru des flocons de neige.

Un homme, assis à la table voisine, s'est mis à épousseter ses épaules en faisait un air qui signifiait qu'il s'était senti attaqué. « La merde me tombe dessus depuis ce matin et ça continue », lance-t-il à son voisin. « Non ! ai-je répliqué malgré moi. Ce n'est pas de la merde, c'est la vie en entier qui vous attrape en passant ! » Il a hésité un peu et a fini par sourire. J'ai bu mon café en brassant mes papiers, la tête penchée.

Conserver l'enchantement. Aspirer au meilleur. Les semences brillaient au soleil et se déposaient sur la ville comme s'il n'y avait rien sous elles, comme si nous n'étions pas là. Je souriais de bonheur et ressentais la douce ivresse de pouvoir assister encore à la beauté de ce qui se trame autour.

Au printemps, parfois, on peut sentir dans l'air (encore) les sucres du pollen.

Je crois qu'on écrit pour pointer le paradis du doigt. Je crois qu'on peint parce qu'on l'a au bout des mains.

Le paradis terrestre

Ni antérieur ni postérieur. Jeune, je nous imaginais mille personnes arriver là-haut, sauf une. Dans le grand hamac du ciel, alors que nous étions tous penchés pour saisir la dernière main qui se tendait, par le poids, l'élan, je nous voyais retomber!

La première fois où j'ai entendu prononcer paradis terrestre, j'ai pris les mots au pied de la lettre. On le disait «terrestre», il existait donc sur la terre! J'ai cru alors, du haut de mes sept ans, qu'il s'agissait tout simplement de le retrouver ou de le construire. Plus tard, j'ai pensé qu'on nous cachait quelque chose, qu'il était impossible qu'on n'ait pas le droit de savoir, que la maîtresse et le curé se trompaient. Adam et Ève avaient été chassés injustement; Ève n'était pas responsable de tout, Adam l'était tout autant, en fait, sincèrement, je le trouvais épais. Je pressentais qu'Ève était forte et non pas étourdie ou inconsciente telle qu'on la décrivait. Je pensais aussi qu'on avait certainement le droit de cueillir le fruit de l'arbre de la connaissance, il suffisait d'avoir une intention pure. La belle affaire.

Au début du secondaire, avec toute la classe, nous étions allés voir la pièce *L'auberge des morts subites* de Félix Leclerc. Grande révélation. Il y avait donc un lieu dans la pénombre où l'on jouait au paradis. Des gens parlaient sous un éclairage dans un décor et nous étions là à les voir et à les entendre! On pouvait donc parler au paradis? On y était encore vivant?

J'aimais les lectures à voix haute et les périodes de composition française. À travers notre livre d'étude venu de France, je me reliais à quelque chose qui m'apparaissait très important. Un jour, nous avons eu à écrire une page sur la place qu'occupent les cloches dans notre vie (les cloches d'église). Mon texte décrivait, comme de raison, le baptême, la confirmation, le mariage et menait à la mort et à l'enterrement; j'avais parlé de *l'inéluctable mort*. J'ai eu 0. À la fin de toutes les remises, la maîtresse m'a fait venir à son bureau et devant toute la classe a lancé: « Tu as copié! » Je suis restée muette. Est-ce que copier voulait dire lire dans les livres? En lisant, je sentais bien que des mots et des images montaient en moi, que des phrases naissaient. J'ai gardé le silence ce jour-là, me rendant ainsi coupable sans le savoir. J'ai pris ma copie et je suis retournée m'asseoir, anéantie. J'ai collé mon front sur mon papier; sous mes yeux ouverts, les lettres et les mots dansaient, diffus, derrière eux, un pays inconnu, un secret à transporter. Ce chagrin a refait surface trente ans plus tard, la première fois où je me suis complètement isolée pour écrire. La scène est revenue en flash. Pourquoi est-ce que je n'ai rien dit? Pourquoi est-ce que je ne me suis pas défendue? Qu'oublie-t-on ainsi et qui se loge en soi et perturbe les pas? Les pas perdus après l'Éden.

***

État d'âme

« *The driveness is what rapes the soul* », a décrété la Torontoise Marion Woodman, en détachant ses mots; *driveness*: énergie, propulsion, rudesse... le constant *drive* finit par violer l'âme... Nous étions là, soixante-quinze femmes – et une dizaine d'hommes – attentives à ses paroles, buvant chaque mot pour arriver à saisir ce que le mariage intérieur veut dire: le mariage intérieur et son ombre. Reconnaître, comprendre, épouser l'ombre en soi, cette ombre qui porte l'intolérable, le triste, l'inachevé, mais aussi, dit-elle, le meilleur de ce que vous êtes. « Soyez attentives à vos rêves, a-t-elle continué, car ils montrent l'état des forces lumineuses et obscures en vous, ce qui veut se rapprocher, se balancer, ce qui mijote. Vos rêves sont les symboles de votre croissance et de votre route. »

Au bout de quatre heures d'écoute, nous avons été invitées à peindre nos visages en choisissant de montrer une partie de nous profondément enfouie qui demande à vivre, le moi introjecté. L'amie avec qui j'ai partagé cet atelier était emballée, forte, conquérante. Son visage évoquait la lune d'un côté et un loup de l'autre. J'ai pris le visage d'un lutin, sans l'avoir aucunement cherché. J'ai dessiné mes lèvres à la verticale, en rouge, j'ai contourné mes yeux avec de grands losanges blancs entourés de noir. Étrangement, plus tard, ce masque improvisé, que j'ai dessiné pour le conserver, m'a rappelé quelque chose du visage de Richard Desjardins.

Une fois nos visages peints, nous avons été invitées à bouger et à danser librement pendant plusieurs minutes. Tout autour s'agitaient des déesses sauvages ou aériennes, hésitantes, cherchant des mouvements neufs ou dansant adroitement. Un homme avait le visage bruni de peinture, chacune le fuyait, il marchait seul.

Rassemblées en groupes de trois, nous devions expérimenter un rôle chacun notre tour : l'action, le miroir, le contenant. La première se met à bouger ; la deuxième, qui lui sert de miroir, l'imite en répétant le plus exactement possible les mêmes gestes, elle comprend vite qu'il est difficile de suivre. La troisième, les bras ouverts, devient le contenant, le cadre dans l'espace qui délimite le territoire, pour les protéger. Elle comprend à son tour que ce n'est pas facile de suivre et de contenir les deux autres. Mon miroir m'a suivie. J'ai rampé, puis je me suis soulevée à partir du sol, mesurant mes gestes, l'attendant une fraction de seconde avant de continuer, m'assurant qu'elle pouvait suivre. J'ai monté progressivement, jusqu'à marcher, courir, tourbil-

lonner. J'avais le sentiment de renaître tandis qu'elle était parfaitement essoufflée.

«Le masque a pour effet de détendre les muscles du visage
et de provoquer une redistribution de l'énergie dans le corps. Il
semble qu'au cœur de l'expérience masquée, il y ait un glissement
du sens de l'identité et un sentiment d'unité de la personne. […]
On a pu dire que le masque délivrait la peau, et notamment la
peau du visage, de sa fonction de signe […]», écrit Annie Boyer
dans son *Manuel d'art-thérapie*. J'ai tout senti, et c'était formidable, j'étais animée d'une force et d'une souplesse extraordinaires.

«Soyez particulièrement attentives aux rêves que vous ferez
cette nuit, nous a avisées madame Woodman à la fin de l'atelier,
ils seront très importants pour la suite de votre démarche, car
ce que vous avez expérimenté aujourd'hui se fait habituellement
en une semaine, vous serez bousculées.»

Fragments de mon rêve ce soir-là. Je suis au sous-sol d'un
édifice en briques qui ressemble à celui où logeait ma petite
boîte de production. L'éclairage qui surplombe mon bureau est
doré. Je brasse des papiers, m'affaire. Un homme est assis sur
un banc dans la pénombre. Il me regarde sans rien dire. Je
reconnais en lui un homme que j'ai aimé. Un homme attendu
en vain, un rêve amoureux gardé vivant pour conserver l'espoir
d'une vie à vivre. Son image s'efface, je suis seule. Je relève la
tête et j'aperçois une très belle fenêtre en bois qui ouvre sur une
masse d'eau impressionnante. Des vagues immenses, grises et
bleues, se soulèvent. Il y a des remous, mais tout est parfaitement silencieux. Entre les vagues, une multitude de vêtements
ficelés en gros paquets comme des bottes de foin qui flottent et
viennent vers la rive! Ces vêtements doivent être distribués à des
gens pauvres. Soudainement, il y a trois ou quatre personnes
autour de moi et je leur dis qu'il est impossible de distribuer les
vêtements sans les laver et les sécher. Il n'y a plus personne.
C'est ma tâche, elle m'apparaît impossible, mais je n'ai pas le

choix, je ne peux pas laisser les vêtements là. Coupure. Je suis sur la grève, quelques ballots à mes pieds, je tâte les ficelles, elles sont en métal, je ne sais pas comment j'y arriverai. Un ballot après l'autre, me suis-je dit, je laverai ceux que je peux. Ces milliers de vêtements ficelés, flottant sur l'horizon, étaient trop nombreux pour qu'il ne s'agisse que des miens. Milliers d'histoires, de pensées, ficelées comme des journaux ou des livres.

Ce rêve s'est clarifié plus tard, dans un atelier animé par Françoise. Elle m'a demandé de décrire la masse d'eau. Soudainement, je me suis rappelée que la masse d'eau était semblable au lac Champlain, où nous allions enfants, avec ma mère, pendant quelques semaines pour les vacances d'été. Nous croyions, ma sœur et moi, qu'il s'agissait de l'océan. Comment se passaient ces vacances? me demanda Françoise. Des images sont revenues: il y avait eu un violent orage et l'eau coulait du toit. Nous devions contourner les nombreuses chaudières et chaudrons placés au sol. Ma mère était découragée, le chalet était humide, mon père absent. À la fin de ces vacances-là, les dernières au lac Champlain, j'ai eu mon premier chagrin d'amour en quittant le petit voisin du chalet d'à côté. Au retour, j'ai dû m'aliter.

Pourquoi ai-je choisi de laver et de sécher les vêtements au lieu de les laisser là? Je suis comme ça, et je pense depuis un moment que le complexe de Cendrillon n'est pas l'attente du prince charmant mais bien celui du ménage!

Je crois que les blessures s'entassent dans des compartiments, par catégories. Peurs sur peurs, brisures d'estime de soi sur brisures d'estime de soi, amours perdues sur amours perdues. Rejets sur rejets. Désœuvrement sur œuvre impossible.

«Ton rêve est de nature archétypale, dit Françoise. La situation te dépasse et tu es seule pour accomplir la tâche. Tu aurais pu abandonner les vêtements, tu choisis plutôt de t'en occuper. Qu'as-tu fait après ce rêve? me demanda-t-elle. «J'ai recom-

174

mencé à écrire. » Un soulagement est apparu sur son visage. « Bon, c'est très bien, a-t-elle répliqué. N'oublie pas que dans un rêve ou une situation comme celle-là, des oiseaux viennent nous aider, de vieilles personnes réelles ou fictives nous protègent et nous apprennent des secrets. Tous ceux-là que l'on trouve dans les contes, qui apparaissent comme des personnages secondaires positifs, sont très importants, ils sont les symboles des repères, des guides et des forces. La princesse sait que les oiseaux sont là pour l'aider. » Les oiseaux ou les papillons.

Instant de paradis

J'ai eu, un jour, à organiser le tournage d'un court métrage dont la scène principale devait se dérouler en forêt dans un hôpital de fortune mis sur pied par des soldats. Nous avons choisi de tourner sur un coin de terre en Montérégie, qui, en fait, était une plantation de pins. Une vieille remise pour les tracteurs et la machinerie se trouvait sur les lieux, et bien que l'extérieur ait été recouvert d'aluminium, la remise était parfaite à l'intérieur : sol de terre aplatie et mur de vieilles planches horizontales. Une fois là-bas, le réalisateur a voulu ajouter une scène extérieure. J'ai donc dû me mettre à la recherche d'un lieu qui pouvait ressembler à une baraque pour soldats. Nous avons réorganisé l'ordre des scènes à tourner, j'ai laissé l'équipe et je suis partie seule. C'était un extraordinaire jour de juillet, le ciel était parfaitement dégagé, le soleil éblouissant, ce repérage supplémentaire était loin de représenter une corvée.

J'ai roulé un moment dans la campagne, en portant mon regard sur les plus vieux bâtiments et les lisières des bois. J'ai finalement aperçu au loin une construction qui laissait deviner un chalet rudimentaire. Je me suis engagée sur une route de terre, j'ai dû stationner et continuer mon chemin à pied. C'était bien un vieux *shack*, mais il était trop petit pour faire un bon raccord. Le lieu était exceptionnel. L'air chaud et silencieux ainsi que la douce splendeur m'ont retenue un instant. Devant le *shack*, le champ immense était rempli d'herbes hautes et de fleurs sauvages. Puis j'ai vu, sans y croire tout de suite, une colonie entière de monarques orange et noir, ils devaient être deux mille, cinq mille, dix mille? Impossible à dire. Ne sachant pas quoi faire, je suis restée parfaitement immobile. Attendre, me suis-je dit, tout simplement attendre. Leur étonnante et merveilleuse masse flottait en un même mouvement entre l'ombre des arbres et la douce lumière de juillet qui surplombait le champ. Ils battaient des ailes pour rester en place, leurs corps tournés vers la lumière.

Quelle extraordinaire distance entre notre monde et le leur! ai-je pensé. Au même instant, un invraisemblable contact s'est fait dans mon esprit et une fraction de seconde après, ils ont commencé à se déplacer vers la droite et vers la gauche en une même danse. Ils se sont scindés en deux, puis en trois, de la même manière que le font les poissons dans l'océan. Une grappe entière s'est dirigée vers moi en passant tout simplement à côté, les plus bas à la hauteur de mes épaules. Quelques secondes plus tard, il n'y en avait plus qu'une dizaine autour et ils ont repris leurs battements d'ailes tel qu'on a l'habitude de les voir.

Il se passait donc quelque chose d'absolument merveilleux au loin dans les champs, tandis qu'on s'éreintait à vivre, qu'on se déchirait à deux, à quatre ou à mille! Je me suis sentie seule tout à coup et je n'étais plus du tout rassurée. J'ai repris la route immédiatement, forcée de tout oublier devant ma tâche pressante. À peine un kilomètre plus loin, j'ai trouvé un camp d'entraînement pour soldats, avec une vingtaine de baraques en bois disséminées sur un vaste terrain boisé! Nous avions l'embarras du choix.

Quelques années plus tard, en lisant *Oiseaux, merveilleux oiseaux* d'Hubert Reeves, j'ai trouvé ceci entre les passages: «Nageant en formation serrée, des millions de petits poissons donnent l'illusion d'un organisme unique... Chaque poisson cherche à se tenir à une distance fixe, ni trop près ni trop loin, de ses plus proches voisins. Résultat : toute la colonie se déplace de conserve. D'en haut, elle donne l'image d'un immense organisme... Devant un obstacle, les poissons de l'avant-garde tournent à gauche ou à droite. Cette réorientation se répercute de proche en proche dans l'ensemble du banc de poissons, toujours en vertu de cette règle de la distance optimale... Selon nos termes maintenant familiers, le léviathan observé du haut des airs est la manifestation visible de l'existence d'un attracteur vers lequel convergent les trajectoires des poissons sous la pression des prédateurs. Il illustre le rôle potentiellement "structurateur" des contextes extérieurs[23]. »

Dans l'air et dans l'eau, il se passe donc quelque chose d'absolument pareil. Les papillons ont-ils entendu le bruit de mon moteur ? de mes pas ? Étaient-ils déjà dans cette formation-là avant que je les surprenne ? Les papillons comme poissons. Rassemblés pour partir... raconte Robert Lalonde. Leur souvenir est si précieux. Dans la tristesse ou l'égarement, je me rappelle leur belle masse, sans danger, parfaitement adaptée dans ce monde qui est aussi le leur. Il me faudra retrouver la lisière de ce boisé et ce champ.

La beauté du monde

J'ai acheté mes premiers tubes de peinture à l'huile à l'âge de 16 ans, comme ça, toute seule, un beau jour, après avoir reçu mon salaire de vendeuse à temps partiel, persuadée que dans la vie il devait y avoir des tubes de peinture, qu'on ne pouvait pas être au monde véritablement sans vouloir le peindre et que c'était la meilleure manière d'y être, l'unique manière d'être réellement libre. Je serai peintre du dimanche, pensant garder tout ça pour plus tard, quand je serais vieille, quand la vie avec ses obligations

---

23. Hubert Reeves, *Oiseaux, merveilleux oiseaux – Les dialogues du ciel et de la vie*, Paris, Éditions du Seuil, 1998, p. 150-151.

et ses fureurs aura passé. J'y arrive, j'y suis d'une certaine manière.

«N'attends pas, maman, n'attends pas! Écris maintenant, peins maintenant», répétait ma fille il y a quelques années. Un jour elle a ajouté: «Il n'y a pas que le travail dans l'existence!» Elle a dû le répéter et l'expliquer.

Je n'ai pas oublié mon premier tableau: une marmite de fer noir, bien campée, de laquelle sortaient des flammes multicolores qui ressemblaient à des fleurs. La vie de peintre à cette époque, on la disait encore remplie d'embûches, de vies désordonnées, d'écueils, de perdition. Aurait-elle pu être autrement? Je ne peux que l'espérer. J'ai longtemps été déchirée face à cette question, et, outre le milieu peu propice, et plus tard les obligations, quelque chose d'autre m'a empêchée de me consacrer à mon art. Je craignais quelque chose d'instinct, qui s'est révélé quand j'ai vu le film *Les enfants du Refus global*, où les enfants justement témoignent de la lourdeur et de la difficulté que ce choix de leur parent a engendré pour eux. Je craignais aussi de m'y perdre, de vivre sans repères, ballottée. Quelque chose de cela se révèle à moi et me déchire chaque fois que j'aperçois le visage de Riopelle sur une couverture imprimée. Son beau visage, vieilli, où je lis, si j'ose dire, souffrance et eaux troubles.

Je me suis rendue à l'église le jour de ses funérailles, tout près de chez moi. J'avais le cœur serré de ne pas l'avoir connu, voilà qu'en plus il avait fini, alors que je commence à peine. À la sortie de l'église, de gros flocons ont envahi le ciel, ils tombaient lentement sur la ville et disparaissaient aussitôt. Je me suis attardée sur le perron, comme on faisait autrefois; on se serait cru dans l'émouvant blanc de ses derniers tableaux, ce blanc[24] qui, pour lui, symbolisait la mort.

---

24. Hélène de Billy, *Riopelle*, Montréal, Éditions Art Global, 1996, p. 18 et 19.

Mes plus lointaines images

Je joue dans la cour de ma grand-mère maternelle. Il y a des lapins et des poules en cage, des arbres et un jardin… Les adultes parlent. Mon oncle Georges sourit, fume et boit, et on dit du mal de lui car il ne travaille pas. Quand il fait beau, vers la fin de l'après-midi, il regarde au loin, sans rien chercher vraiment et me demande : « Viens-tu voir les vaches ? » Il m'installe debout sur le siège avant de sa voiture, et je pose mon bras sur ses épaules ; je ne peux pas être bien vieille car je ne touche pas au plafond. Le chemin me semble long, lointain, comme un voyage, nous roulons le long du boulevard Taschereau. Je me sens comme une petite reine qui visite des terres.

***

J'ai quatre ou cinq ans, je suis assise sur le ventre de mon oncle Roger. Il me raconte ses histoires de marins pendant que je lisse inlassablement ses cheveux par-derrière avec un peigne en plastique qu'il garde toujours dans sa poche. Ses cheveux sont droits comme ceux de mon grand-père et je m'applique à former et à reformer des franges bien lisses. Ses yeux sont bleus et ils me sourient. Sa voix est bonne. J'apprends qu'il y a des pays lointains, que la terre est très grande. Je pense qu'il s'agit de visiter tous les pays et tous ceux qui y vivent, de se baigner dans tous les cours d'eau et de marcher sur toutes les plages. Je crois que c'est ainsi que je vivrai, je crois que nous sommes là pour « marcher la terre ». Les filles ne peuvent pas travailler sur les bateaux ! Pourquoi ? Je ne l'ai jamais su. Je voudrais faire une année de tous les métiers du monde pour tout apprendre. Silences.

Voile : nom féminin. Morceau de forte toile destiné à recevoir l'action du vent pour faire avancer le navire.

Voile : nom masculin. Morceau d'étoffe destiné à cacher.

Bizarre !

***

Des vagues onctueuses, aux couleurs du charbon et du bleu du ciel mêlés, s'entrelacent et frissonnent dans la risée, comme des caresses agiles et pressées à fleur de peau. J'apprends à naviguer sur un dériveur. Le lac est beau, pas très grand, un lac du nord entouré de sapins forts et paré d'îles. Il me manquait une certaine témérité pour apprendre toute seule. Jean me sourit en maniant la grande voile, j'ai charge du foc. Il dit que je suis habile. J'attends le vent. J'attends qu'il emplisse la voile de lui-même, qu'elle se gonfle un peu d'abord et là je borde. Je crois que si je trouve cet instant précis, je saurai vraiment naviguer. Levant la tête, il lance : « Les cirrus annoncent toujours un changement de température, vers le froid ou vers le chaud, on ne sait pas, mais il y aura un changement, c'est certain. » Au ciel, un ange cirrus joue de la flûte. Sous lui, des vases fluides, des fleurs éparses.

Un matin, en ville, je lui ai demandé : « Pourquoi est-ce que ça sent le sel ? Comment est-ce possible ? » « C'est parce que le vent souffle de l'est, m'a-t-il répondu, de l'Atlantique. » Comme j'ai été heureuse d'apprendre que les vents de l'Atlantique pouvaient souffler jusque dans ma rue.

La lumière joue sur ma table, de derniers mots, de Roland Giguère encore, accourent... « La peinture, comme la poésie, est un escalier de sauvetage. La main sur la rampe, le peintre fuit une maison sans cesse mise à feu et à sang. La maison tour à tour s'écroule et renaît de ses cendres tandis que toujours l'escalier de sauvetage reste là, parfois sans appui, dressé en l'air, à l'usage de tous. »

Plateau du Mont-Royal,
février 2004 - avril 2005

Remerciements

Merci de tout cœur à Sophie Picard, France Lafleur, Serge Babeux, Cristina Bonilla, Isabelle Brouillette, Geneviève Bilodeau, Philippe Ducros, Éliane Excoffier, Marie-Noël Mainguy, Hélène Martinez, Isabelle Giroux, Geneviève Guérard, Pierre Plante, Francine Christie, Françoise Cloutier et Jean Balekian d'avoir, en toute amitié, partagé des fragments de leur vie et de leur art. Un merci particulier à Cristina Bonilla et à Pierre Plante, pour leur soutien tout au long de l'écriture de ce livre. Je suis également reconnaissante aux différents auteurs cités qui ont jalonné le parcours et permis d'enrichir et d'étayer l'ensemble des propos.

Tout près, merci à mon amie Ginette, qui me permet sans relâche de déposer mon bâton de pèlerine et de le reprendre. Merci à ma fille, qui, au long des saisons, m'a fait découvrir des courants et des auteurs, dont Roland Giguère et Robert Lalonde, pour mon plus grand bonheur. Merci à Danielle Bissonnette pour un exceptionnel été passé à la campagne il y a quelques années, où j'ai pu voir et entendre gronder le vent dans la vallée et retrouver le bonheur de la terre, du partage et des mots. Merci à Huguette et à Micheline pour leur bienveillance. Merci à Jacques Simard, mon éditeur, de m'avoir fait entièrement confiance.

Merci à ma mère. Elle me laissait, enfant, courir et tourbillonner en maillot de bain sous les pluies d'été. Debout au lavabo, le cou étiré vers la fenêtre, elle me surveillait en souriant.